地域批評シリーズ㊹

これでいいのか北海道 まちの問題編

まえがき

北海道は広い。その面積は8万3000平方キロメートルを超える。これは、関東甲信越＋北陸三県よりも広く、さらに静岡県を加えてようやく同等となる広さである。東北全県を合わせても、北海道の約80パーセントがせいぜいだから、いかに北海道が「でっかい道」なのかわかるというものだ。

とはいえ、道民がその広さを正確に把握しているかといえば、大いに謎である。北海道は、大きく道北、道央、道東、道南の4エリアに分類されるが、それぞれがつながっているとも分断されているとも、どちらともいえる微妙な距離感がある。自分の住む街と周辺地域の関係も、近くて遠い。道民でさえ、同じエリア（あるいは隣接するエリア）なのに、他にどんな街があるのか知らない、あるいは名前も聞いたことのないような街もあったりするのだ。

しかし、北海道はいわばでっかいひとつの島である。人々が意識していなくとも、それぞれの地域は密接につながっている。人口集中が進む札幌は、他を圧倒する実力を誇っているが、その力の源泉は全道の中心であることだ。他の地域なくして札幌は成り立たない。この図式は道内各地も同じで、函館、小樽、帯広、旭川、釧路、根室といった主要都市にもいえる。

広大な北海道にはとにかく街が多い。ゆえに道民が様々な街の実情を把握しているとは言い難い。留萌や夕張などかつて大きな繁栄を誇った街の現状はどうなっているのか？　網走、石狩、苫小牧といった街はどうして道民から誤解されているのか？　江差、松前、長万部などは由緒ある土地なのに他の地域と分断されているのはなぜなのか？　などなど。道民が知っているようで知らないことは多々ある。そして現在、道内の各街では、それぞれの条件、それぞれの事情のもと、大小様々な問題が発生し、また新たな取り組みにより、未来への不安と希望がない交ぜになっている。

本書は、『これでいいのか北海道』第一弾の『道民探究編』とはうってかわり、『まちの問題編』と題し、道内各地で発生している良くも悪くも様々な社会問題を取り上げ、独自の視点で批評した。シリーズ最長の移動距離と取材期間を投入し、膨大なデータ分析と現地取材から北海道の社会問題の真実を解き明かし、その将来について論じていくとしよう！

道北
上川
89 旭川市
90 鷹栖町
91 東神楽町
92 当麻町
93 比布町
94 愛別町
95 東川町
96 上川町
97 美瑛町
98 上富良野町
99 中富良野町
100 富良野市
101 南富良野町
102 占冠村
103 和寒町
104 剣淵町
105 士別市
106 下川町
107 名寄市
108 美深町
109 音威子府村
110 中川町
111 幌加内町
留萌
112 留萌市
113 増毛町
114 小平町
115 苫前町
116 羽幌町
117 初山別村
118 遠別町
119 天塩町
宗谷
120 稚内市
121 猿払村
122 浜頓別町
123 中頓別町
124 枝幸町
125 豊富町
126 礼文町
127 利尻町
128 利尻富士町
129 幌延町
オホーツク海
オホーツク
サロマ湖
網走駅
知床半島
JR石北本線
北見駅
大雪山
屈斜路湖
摩周湖
根室
道東
阿寒湖
JR釧網本線
根室駅
根室半島
JR根室本線
新得駅
本別JCT
道東自動車道
帯広駅
釧路駅
東釧路駅
釧路
十勝
太平洋
様似駅
襟裳岬
北
0
50km
道東
オホーツク
130 北見市
131 網走市
132 紋別市
133 大空町
134 美幌町
135 津別町
136 斜里町
137 清里町
138 小清水町
139 訓子府町
140 置戸町
141 佐呂間町
142 遠軽町
143 湧別町
144 滝上町
145 興部町
146 西興部村
147 雄武町
十勝
148 帯広市
149 音更町
150 士幌町
151 上士幌町
152 鹿追町
153 新得町
154 清水町
155 芽室町
156 中札内村
157 更別村
158 大樹町
159 広尾町
160 幕別町
161 池田町
162 豊頃町
163 本別町
164 足寄町
165 陸別町
166 浦幌町
釧路
167 釧路市
168 釧路町
169 厚岸町
170 浜中町
171 標茶町
172 弟子屈町
173 鶴居村
174 白糠町
根室
175 根室市
176 別海町
177 中標津町
178 標津町
179 羅臼町

北海道地図

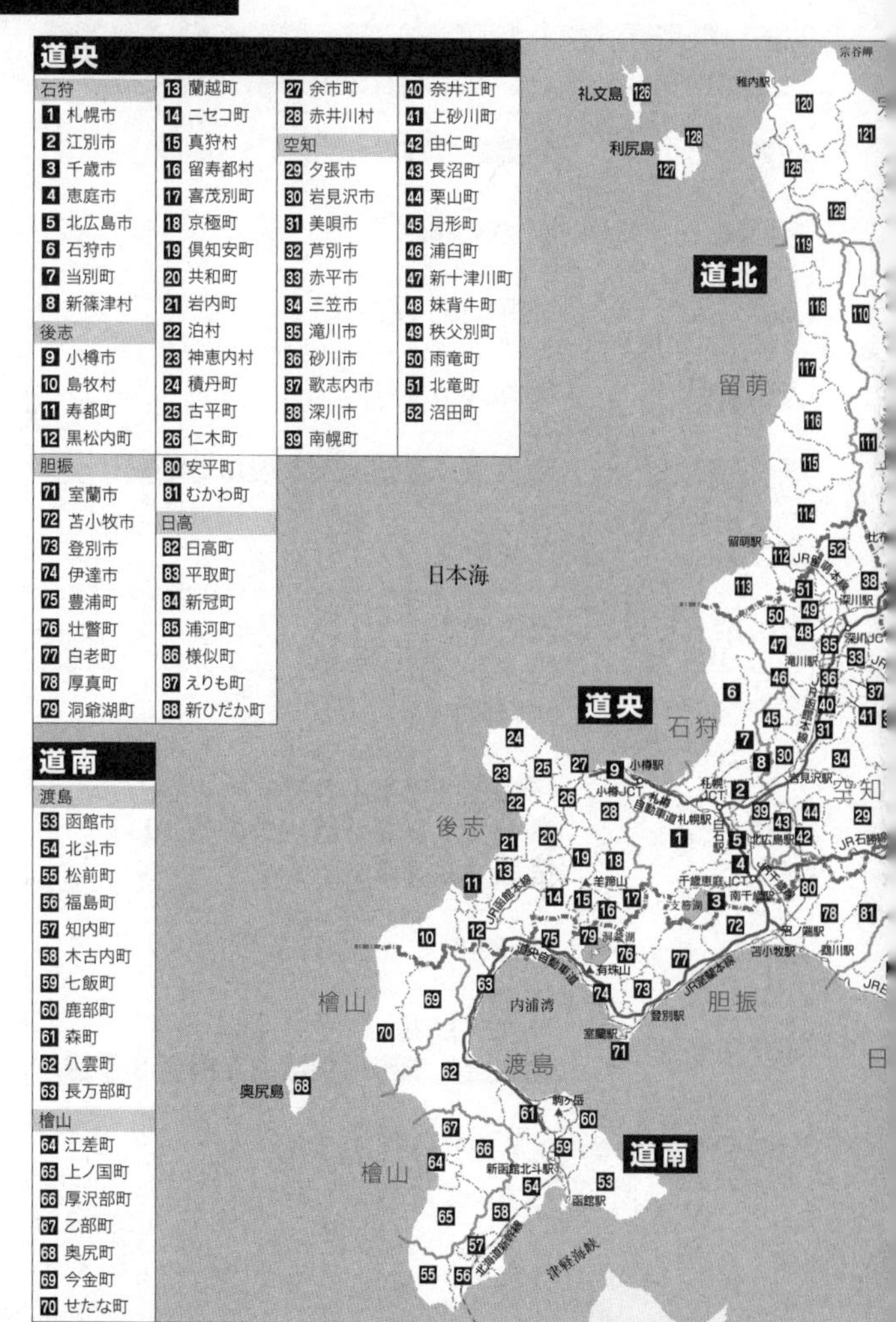
道央
石狩
1 札幌市
2 江別市
3 千歳市
4 恵庭市
5 北広島市
6 石狩市
7 当別町
8 新篠津村
後志
9 小樽市
10 島牧村
11 寿都町
12 黒松内町
13 蘭越町
14 ニセコ町
15 真狩村
16 留寿都村
17 喜茂別町
18 京極町
19 倶知安町
20 共和町
21 岩内町
22 泊村
23 神恵内村
24 積丹町
25 古平町
26 仁木町
27 余市町
28 赤井川村
空知
29 夕張市
30 岩見沢市
31 美唄市
32 芦別市
33 赤平市
34 三笠市
35 滝川市
36 砂川市
37 歌志内市
38 深川市
39 南幌町
40 奈井江町
41 上砂川町
42 由仁町
43 長沼町
44 栗山町
45 月形町
46 浦臼町
47 新十津川町
48 妹背牛町
49 秩父別町
50 雨竜町
51 北竜町
52 沼田町
胆振
71 室蘭市
72 苫小牧市
73 登別市
74 伊達市
75 豊浦町
76 壮瞥町
77 白老町
78 厚真町
79 洞爺湖町
80 安平町
81 むかわ町
日高
82 日高町
83 平取町
84 新冠町
85 浦河町
86 様似町
87 えりも町
88 新ひだか町
道南
渡島
53 函館市
54 北斗市
55 松前町
56 福島町
57 知内町
58 木古内町
59 七飯町
60 鹿部町
61 森町
62 八雲町
63 長万部町
檜山
64 江差町
65 上ノ国町
66 厚沢部町
67 乙部町
68 奥尻町
69 今金町
70 せたな町
宗谷岬
稚内駅
礼文島
利尻島
道北
留萌
留萌駅
日本海
道央
石狩
小樽駅
小樽JCT
札幌JCT
札幌駅
札樽自動車道
深川駅
滝川駅
岩見沢駅
JR函館本線
空知
北広島駅
JR石勝線
羊蹄山
千歳恵庭JCT
南千歳駅
支笏湖
洞爺湖
有珠山
苫小牧駅
沼ノ端駅
鵡川駅
JR室蘭本線
道央自動車道
JR函館本線
後志
内浦湾
登別駅
室蘭駅
胆振
檜山
渡島
奥尻島
駒ケ岳
道南
新函館北斗駅
函館駅
北海道新幹線
津軽海峡

北海道基礎データ

地方	北海道地方
総面積	83,424.44㎢
人口	5,207,185 人
人口密度	66.4 人 /㎢
隣接都道府県	青森県（津軽海峡を挟んで隣接）
道の木	エゾマツ
道の花	ハマナス
道の鳥	タンチョウ
道民のうた	行進曲「光あふれて」 ホームソング「むかしのむかし」 音頭「北海ばやし」
団体コード	01000-6
道庁所在地	〒 060-8588 北海道札幌市中央区北 3 条西 6 丁目
道庁舎電話番号	011-231-4111（代表）

※総面積は国土地理院「令和３年全国都道府県市区町村別面積調（1 月 1 日時点）」参照、
総面積には北方地域を含む

※人口は住民基本台帳人口（2021 年 5 月 31 日現在）を参照

※人口密度は北方地域を除いた総面積で計算

●第2章●【首都札幌と勢いを増す周辺地域】……53

●第3章●【名門小樽も苦しむ札幌以外の道央各地】……105

●第4章●【北海道始まりの地　観光が頼みの道南】……157

●第5章●【炭鉱後の身の振り方を見つけられない道北】……197

第１章
広すぎる北海道の複雑なエリア分け

北海道は大きく分けて4つのエリアに分類される

広大な北海道を分ける行政区分

北海道はともかくでかい。それだけに様々な地域が存在し、ブロックごとに生活スタイルや住民気質が違ったりする。

そんな北海道は、大きく分けて道央、道北、道東、道南の4つに分類されることが多く、それぞれがなんとなくの固まりをつくっている。

さて、こうした分類は元々の距離的、文化的な分類だけではなく、行政システム上の区分として使われることもある。たとえば東京都では、中心部の東京23区と西部の市部に分かれ、扱いもかなり違ったりする。市部はそれぞれ多少の独自性があるのに対し、区部は基本的な考え方として、23区全部を合わせてひとつの行政区分であり、区ごとの権限はかなり制限されているといった具合である。

北海道の場合も、圧倒的な存在感を誇る札幌を擁する道央が特別扱い……なんて思うかもしれないが、そんなことはない。というか、道央、道北、道東、道南といった行政区分はなく、たとえば道央は「後志総合振興局、石狩振興局、空知総合振興局、胆振総合振興局、日高振興局を合わせた地域が道央とされる場合がある」といった感じで、正式なものではない。

ただ、まったく使っていないというわけでもなく、なんとなくの認識は共有されている。先の「後志総合振興局〜」の5エリアを道央として扱っているのは北海道庁だ。とはいえ、それが正式な区分かどうかははっきりせず、国土交通省の分類では、石狩、空知が道央で、他のエリアは道南扱いだったりして、まったく統一はされていない。また、4区分ではなく、3区分で道南、道東、道北だけの分け方もあり、この場合はざっくり道央も道南に含まれるという感じになっている。

これらの分類は、結構現実に即してノリで分けているケースもあり、空知管内でも幌加内町だけは道北にしたり、旭川を道央に入れたりとあまりに色々あるので「正確にこれ」という分け方は存在しない。

メジャーな分類はこれだ

ただ、そんな中にもメジャーなものがある。以下のものが比較的多く使われているようだ。

・「道央」：石狩・空知（北空知以外）・胆振・日高・後志・上川（南部）
・「道南」：渡島・檜山
・「道北」：空知（北空知のみ）・上川（中北部）・留萌・宗谷
・「道東」：網走・十勝・釧路・根室

どうだろうか？　なんとなく納得できるか、「いや違うよ」と思うかはその人次第だろう。とはいえ、空知が分割されるのは、国土交通省が管轄するナンバープレートに即していたりするので、多くの人が受け入れやすいかもしれない。

　こうした、地理的条件のエリア分けだけではなく、通勤や買い物環境などの生活圏に合わせた分類も存在する。この場合もほとんどは先と同じだが、こちらで後志・胆振・日高は道央に分類される。要するに、これらの地域はすべて札幌を中心に動いているというわけだ。また、広大な道東は、オホーツク、十勝、釧路の３エリアに分かれる。まあ、北海道のほとんど半分近くを乱暴に「道東」とひとくくりにするのは確かに厳しいわけで、央、北、南に加えてこの３エリアの計６分割にしたほうが、自然な分類といえるかもしれない。

　これ以外にも、観光地での分類が存在し、その場合は空知、上川、十勝が独立して「大雪山観光エリア」となる。

　こうした混乱（？）が多いのには、人の動きの変化や行政システムの再編などによるものもあるので、「正式ではない分類」である以上、「実際の事情」に合わせて変化するものだ。いつまでもこれがメジャーなままであるかどうかはわからない。実際、江戸時代などは、（和人の支配が及ぶ）道南とそれ以外、なんて感じの分け方もあったのだ。

道内は大きく4つの地域に分かれるが、その境界線は意外とあいまい。だが、その4地域の「個性」は意外とハッキリしている

さて、次項からはそれぞれのエリアにどの市町村が含まれるかを中心に、より詳しく地域の特性を解説していく。普段、それぞれのエリアの人々はあまり交わることがなく（札幌で鉢合わせることはままあるが）、それが地域ごとに違った個性を生んでいる。また、ざっくりと道南は江戸以前からの津軽・南部気質、道東は農漁業、道北は炭鉱といった、一種ステレオタイプだが、ある程度正解な地域事情もあり、それが地域の違いとなって今に伝わっているという要素もある。では、広い北海道の各地を、まずは4分割してみていこう。

北海道振興局一覧

振興局	管轄市町村
空知総合振興局	夕張市／岩見沢市／美唄市／芦別市／赤平市／三笠市／滝川市／砂川市／歌志内市／深川市／南幌町／奈井江町／上砂川町／由仁町／長沼町／栗山町／月形町／浦臼町／新十津川町／妹背牛町／秩父別町／雨竜町／北竜町／沼田町
石狩振興局	札幌市／江別市／千歳市／恵庭市／北広島市／石狩市／当別町／新篠津村
後志総合振興局	小樽市／島牧村／寿都町／黒松内町／蘭越町／ニセコ町／真狩村／留寿都村／喜茂別町／京極町／倶知安町／共和町／岩内町／泊村／神恵内村／積丹町／古平町／仁木町／余市町／赤井川村
胆振総合振興局	室蘭市／苫小牧市／登別市／伊達市／豊浦町／壮瞥町／白老町／厚真町／洞爺湖町／安平町／むかわ町
日高振興局	日高町／平取町／新冠町／浦河町／様似町／えりも町／新ひだか町
渡島総合振興局	函館市／北斗市／松前町／福島町／知内町／木古内町／七飯町／鹿部町／森町／八雲町／長万部町
檜山振興局	江差町／上ノ国町／厚沢部町／乙部町／奥尻町／今金町／せたな町
上川総合振興局	旭川市／士別市／名寄市／富良野市／鷹栖町／東神楽町／当麻町／比布町／愛別町／上川町／東川町／美瑛町／上富良野町／中富良野町／南富良野町／占冠村／和寒町／剣淵町／下川町／美深町／音威子府村／中川町／幌加内町
留萌振興局	留萌市／増毛町／小平町／苫前町／羽幌町／初山別村／遠別町／天塩町
宗谷総合振興局	稚内市／猿払村／浜頓別町／中頓別町／枝幸町／豊富町／礼文町／利尻町／利尻富士町／幌延町
オホーツク総合振興局	北見市／網走市／紋別市／美幌町／津別町／斜里町／清里町／小清水町／訓子府町／置戸町／佐呂間町／遠軽町／湧別町／滝上町／興部町／西興部村／雄武町／大空町
十勝総合振興局	帯広市／音更町／士幌町／上士幌町／鹿追町／新得町／清水町／芽室町／中札内村／更別村／大樹町／広尾町／幕別町／池田町／豊頃町／本別町／足寄町／陸別町／浦幌町
釧路総合振興局	釧路市／釧路町／厚岸町／浜中町／標茶町／弟子屈町／鶴居村／白糠町
根室振興局	根室市／別海町／中標津町／標津町／羅臼町

※北海道公式サイトより作成

札幌を抱える道央エリアはとにかく広大

すべての中心は札幌だけど

　道央は、名前のごとく北海道の中心地だ。もちろん中心は札幌。札幌周辺は、実は大和国とか武蔵国とかの「旧国名」では「石狩国」となる。明治維新に際し、ほんの少しの期間だけ、北海道も旧律令国で区分されたことがあり、その際に石狩国として「日本国」に編入された過去がある。この「旧国名」の範囲は、おおよそそのまま現在の振興局につながっている。この「旧国」はなんと11国（86郡）もあったので、自分の住んでいる地域をチェックしてみるのもいいだろう。北海道は「歴史が浅い」ため、他地域の人のように「俺は武蔵の生まれでさ」などと言えないことを悔しがっている人も知っているが、実は存在したのである。

余談が長引いた。では、実際の道央をみていこう。最大範囲で道央に含まれるのは、

札幌市・小樽市・室蘭市・夕張市・岩見沢市・苫小牧市・美唄市・芦別市・江別市・赤平市・三笠市・千歳市・滝川市・砂川市・歌志内市・深川市・登別市・恵庭市・伊達市・北広島市・石狩市・当別町・新篠津村・島牧村・寿都町・黒松内町・蘭越町・ニセコ町・真狩村・留寿都村・喜茂別町・京極町・倶知安町・共和町・岩内町・泊村・神恵内村・積丹町・古平町・仁木町・余市町・赤井川村・南幌町・奈井江町・上砂川町・由仁町・長沼町・栗山町・月形町・浦臼町・新十津川町・妹背牛町・秩父別町・雨竜町・北竜町・沼田町・豊浦町・壮瞥町・白老町・厚真町・洞爺湖町・安平町・むかわ町・日高町・平取町・新冠町・浦河町・様似町・えりも町・新ひだか町

と膨大な量になる。こうしてみると、道央はともかく大きい。よって、前項でみたように、メジャーな分類では一部の地域を道央から外したり入れたりするわけだが、その際に除外される地域はこうだ。

北空知：深川市・（雨竜郡）妹背牛町・秩父別町・北竜町・沼田町・雨竜町

逆に追加されるのはこちら。

上川南部：上富良野町・中富良野町・南富良野町・富良野市

要するに、富良野は道央に入れた方がいいんじゃないか？　という話である（本書では富良野は道北に入れている）。ちなみに、旭川など上川の中部も道央で、という意見もあるが、それだと広すぎるということで、あまり使われることはない。旭川や富良野は後述するが「北海道の中心、へその位置」ということをアピールしたがるので、富良野としては「道央でしょ」の要望がとおった形で、旭川は逆、というのが現在の情勢といえるだろう。

道央の全体像を見てみると……

道央の全体像、などとタイトルを付けてしまったが、これはもう全てが札幌に集約しているといって過言ではないだろう。無論、産業面でみれば、苫小牧や石狩のように物流が盛んだったり、ニセコのように著名な観光地だったりとそれぞれ売りはあるが、小樽のような大都市ですら札幌に人を吸い取られている有り様。後の頁で詳しく触れる、小樽の大型ショッピングモール「ウイングベイ小樽」がなぜグダグダかといえば、要するに「同じ電車や車に乗って出かけるならば、小樽の外れも札幌も同じ」という道民の感覚があるから。ともかく札幌さえあればなんでもいいのである。

ここでいう「札幌」には北広島などの周辺都市も含まれる。その良い例が南千歳の千歳アウトレットモール・レラの惨状だ。鳴り物入りでオープンし、しかも新千歳空港直近という絶好の立地ながら、このアウトレットモールには文字通り閑古鳥が鳴いている。テナントは半分近くが空き家。訪れる人も少なく、南千歳駅周辺は、あと10年もすれば廃墟っぽくなりそうな雰囲気がまんまんである。

それもこれも、結局北広島＝札幌と同等以上、いや多少劣っていたとしてもアウトレットモールがあれば、人はそちらに向かうのだ。小樽のケースとは別に「札幌市民は遠くへ行ってくれない」「札幌市民は札幌（とその周辺）」から離れない」というわけだ。

こうしたことから、札幌、北広島、江別など、本当の中心部を除けば、道央は寂れた地域や、純粋な住宅地ばかりである。住宅地として見た場合、千歳駅周辺などわりと勢いを感じる地域もあるが、周囲にあるのはお決まりのロードサイド店系ばかり。結局札幌以外に行くところがないわけだ。

このように、「道央の全体像」はあまりにも一方的といえる。

むしろ注目は、札幌周辺の江別や北広島がどこまで伸びるかだろう。片や水運の中心地からただの住宅地になってしまった江別は、大学の存在で文教エリアとして成立し、北広島は北海道日本ハムファイターズの「移転」によって、その勢いを大きく増そうとしている。南千歳のアウトレットモールを「葬った」のは、北広島の三井アウトレットパーク札幌「北広島」なのである。札幌市は、札幌駅からすすきのまでの狭いエリアにほとんどの大型商業施設が固まり、繁華街としてはかなり良いバランスの「ミドルサイズ」で成立している。しかし、デパートを中心とした「旧繁華街」が全国的に衰退する中、大型店で勝負する北広島などは札幌を食う可能性だってあるかもしれない。今後、札幌は安泰なのか、わずかな隙が存在する可能性はあるはずだ。

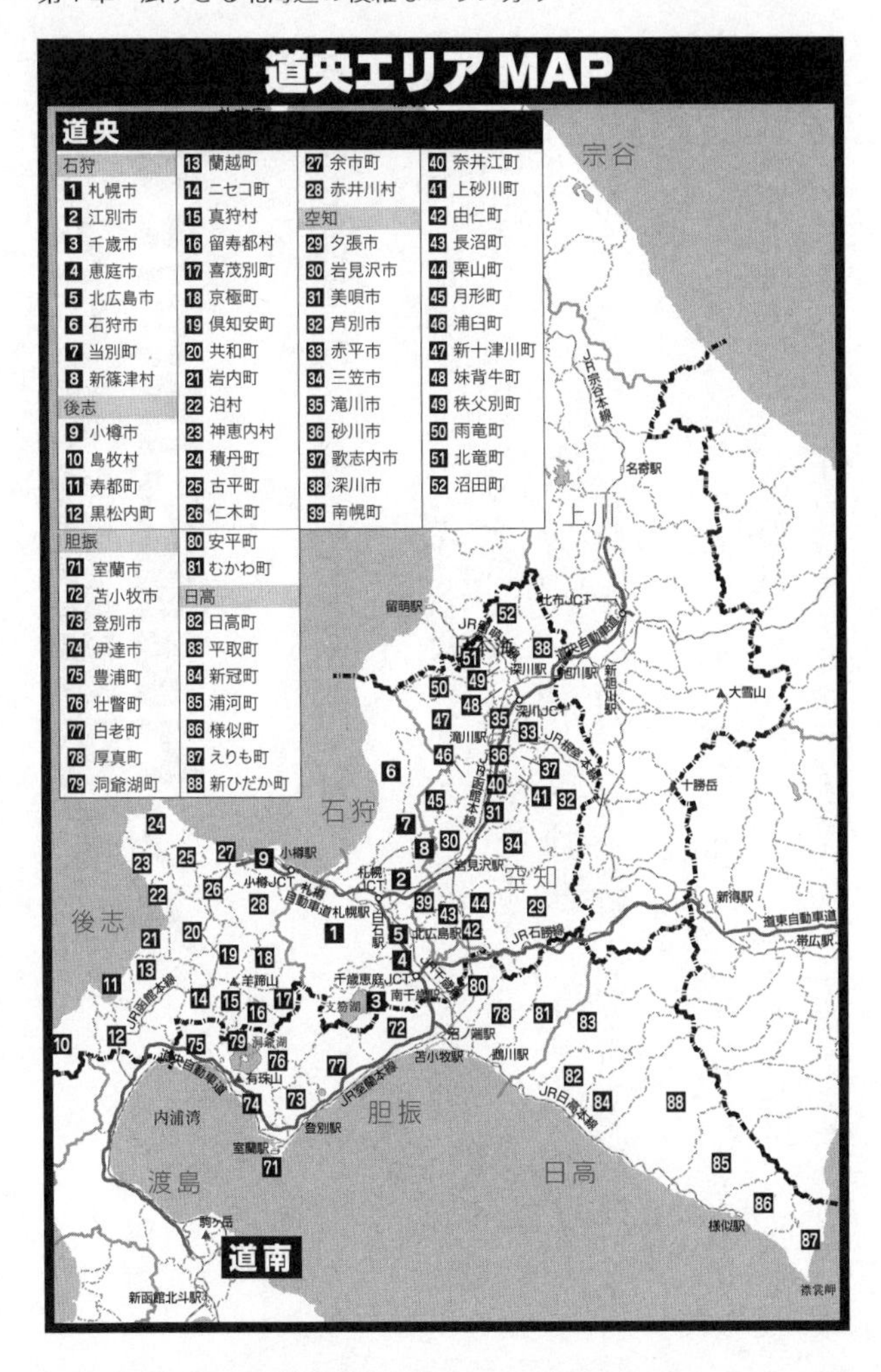
道央エリアMAP
道央
石狩
1 札幌市
2 江別市
3 千歳市
4 恵庭市
5 北広島市
6 石狩市
7 当別町
8 新篠津村
後志
9 小樽市
10 島牧村
11 寿都町
12 黒松内町
13 蘭越町
14 ニセコ町
15 真狩村
16 留寿都村
17 喜茂別町
18 京極町
19 倶知安町
20 共和町
21 岩内町
22 泊村
23 神恵内村
24 積丹町
25 古平町
26 仁木町
27 余市町
28 赤井川村
空知
29 夕張市
30 岩見沢市
31 美唄市
32 芦別市
33 赤平市
34 三笠市
35 滝川市
36 砂川市
37 歌志内市
38 深川市
39 南幌町
40 奈井江町
41 上砂川町
42 由仁町
43 長沼町
44 栗山町
45 月形町
46 浦臼町
47 新十津川町
48 妹背牛町
49 秩父別町
50 雨竜町
51 北竜町
52 沼田町
胆振
71 室蘭市
72 苫小牧市
73 登別市
74 伊達市
75 豊浦町
76 壮瞥町
77 白老町
78 厚真町
79 洞爺湖町
80 安平町
81 むかわ町
日高
82 日高町
83 平取町
84 新冠町
85 浦河町
86 様似町
87 えりも町
88 新ひだか町
宗谷
JR宗谷本線
名寄駅
上川
留萌駅
北布JCT
深川駅
旭川駅
新旭川駅
大雪山
深川JCT
滝川駅
JR根室本線
JR函館本線
十勝岳
石狩
小樽駅
小樽JCT
札樽自動車道
札幌JCT
札幌駅
岩見沢駅
空知
白石駅
北広島駅
新得駅
道東自動車道
帯広駅
JR石勝線
後志
羊蹄山
千歳恵庭JCT
JR千歳線
南千歳駅
支笏湖
JR函館本線
洞爺湖
沼ノ端駅
苫小牧駅
鵡川駅
道央自動車道
有珠山
JR室蘭本線
JR日高本線
内浦湾
登別駅
胆振
室蘭駅
日高
渡島
駒ヶ岳
道南
様似駅
新函館北斗駅
襟裳岬

日本としては北海道でもっとも古い道南エリア

元々は北海道の「首都」だった道南

道南といえば函館ではあるが、道央における札幌のような圧倒的な存在感とまではいかない。道南を構成するのは、基本的に渡島と檜山。つまり、函館市・北斗市・松前町・福島町・知内町・木古内町・七飯町・鹿部町・森町・八雲町・長万部町・江差町・上ノ国町・厚沢部町・乙部町・奥尻町・今金町・せたな町

といったところとなる。道南は、古くから「和人」つまり日本人が進出し、中世には東北地方の武士達が拠点を築いていたため、現在の青森県、つまり津軽や南部の影響が強い。江戸時代には松前藩があり、北海道を支配していた。

札幌が急速に発展するまでは、函館が北海道イチの都市であったし、江差が行政の中心であったこともある。要するに日本の一部として北海道でもっとも伝統があるのは道南なのだ。札幌など、１９４０年までは函館よりも人口が少なかったのだ。ちなみに、小樽も長らく札幌より栄えていたが、こちらは１９２５年に札幌の後塵を拝しているので、札幌がいかに「新参者」であるかがわかるだろう。

こういう歴史を持ってはいるが、現在の道南は、函館を含んで全体的に地味である。かつてはアイヌとの交易拠点。その後大量に取れる鰊を畑の肥料用に販売する鰊漁で超絶大もうけをしてきたのが道南だが、現在はそうした繁栄の影も形もない。すぐ近くに港湾都市の室蘭はあるが、室蘭は道央に入ってしまっている。もはや伝統と観光くらいしか、派手に戦うための武器が残っていないのが道南なのだ。

だからこそか。道南はやたらと「領土拡大」を図っている。たとえば、寿都町・黒松内町・島牧村は、裁判所の管轄では「道南」扱いだ。国交省の一部の分類では、胆振、日高は道南扱い。道南バスの本社は室蘭にあったりするから、各地の道央・道南意識はかなり混乱しているといえるだろう。要するに、バランス良く面積を分割したい官庁や、伝統ある企業などの意識と現実にズレが生じているわけだ。

地域の中心になりきれない函館

道南において函館市の存在感は圧倒的だが、では函館さえ押さえておけば道南を制覇できるかというとそんなことはない。函館はJRの終着駅のひとつだが、木古内以西の江差線廃線によって、まず鉄道網の「中核」としての機能は失われた。松前と函館のバス網は、必死の割引チケットと観光バス攻勢で保たれているが、それ以外の地域とのつながりは、お世辞にも良いとはいえない。

その理由はなんといっても地形にある。道南は大雪山系や日高山脈のような派手な山こそないが、海沿いを除いてほとんどが山地。木古内・江差のように、直線距離は短くても、道路は山道なので心理的な距離がめちゃくちゃ遠い。そもそも函館は道南の東の端っこで、陸上交通網の拠点にはなりづらい。こうした事情から、函館と道南各地の距離は、実際以上に遠いのである。

しかし、このように距離が遠くなったのは、鉄道や自動車などの陸上交通が発達した近代以降。それまでの移動手段は船であったので、海沿いに点在する街々の接続は高速状態で保たれていた。こうした交通が主流なら、山に囲まれた海辺の街には何の支障もなかったのである。今も海運は盛んだが、近距離の移動手段というよりは全世界とつながる遠距離が主流。結局、陸上交通が主流となった時代の波に道南は取り残されてしまったのだ。

また、函館が道南の中心として弱いのは、産業の少なさもあるが、「他の地域との接続」が弱いということも大きい。現在、北海道の空の便は、完全に新千歳空港に集約されている。函館にも空港はあるが、便が少ない上、格安航空会社は乗り入れておらず、結局函館に行こうと思っても、新千歳・札幌経由となってしまう。そうなると、道南各地から東京やら海外やらへ行こうと思えば、函館をスルーして札幌（新千歳）に向かうわけで、道南の住民が函館に集まる「理由」が減ってしまう。これらの事情が相まって、函館の発展が阻害されるし、函館のおかげで他の地域が発展するということもない。

ただし、それぞれの街が孤立していることで、道南は（函館を除いて）激しい競争にさらされず、小規模なら十分食っていけるエリアでもある。松前などは良い例で、全盛期に比べて観光客向けの飲食店や土産物店は少なくなったが、逆にちょうど良い数に落ち着いている。大もうけはもはや難しいが、現状維持は案外簡単な状態になっているのだ。

その意味では、そうした現状維持が可能なだけの観光資源を作ってくれたご先祖様に感謝というところだ。観光客を呼ぶための「ちょっとしたイベント」をそこそこの規模でやれば、確実に成果が出る。確かに衰退はしているが、大崩壊ではなく、ソフトランディングできている地域ともいえる。

とはいえ、このままでは未来は暗い。本当なら、新幹線、それも交通の中心たる木古内あたりが発展して、道南全体が活気づくようにしたいところなのだが……。今のところ木古内は、函館からいさりび鉄道で昼飯を食べに来て、夕方には帰る街。野望を抱くには、今後相当の努力が必要になりそうだ。

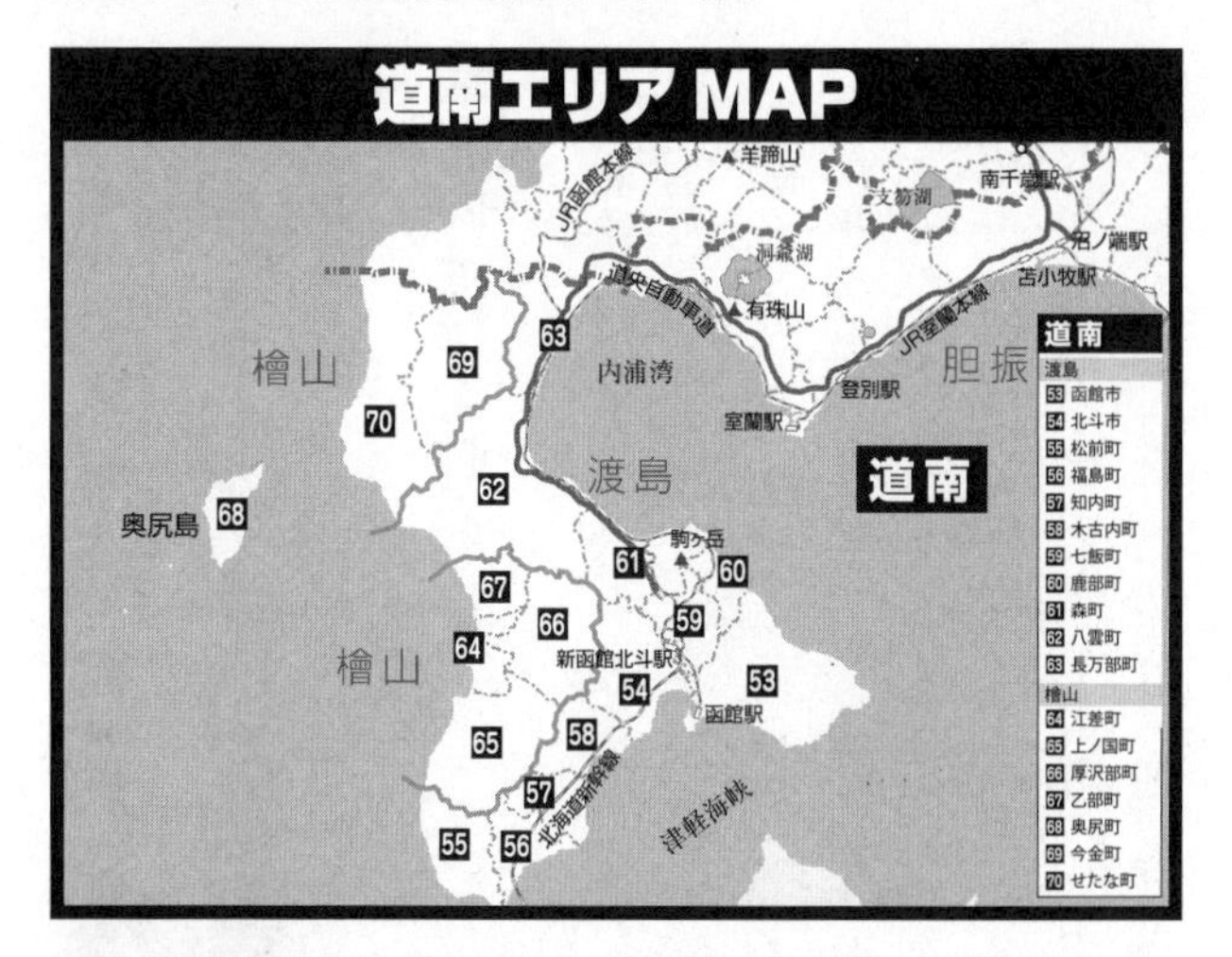

道南の中心といえば函館だが、現状でその玄関口の函館駅は、道南における鉄道網のハブ的役割を失っている

元はお金持ちで今はビンボー!?
イメージよりも高レベルの道北

最北の地は過疎進行中

道北は、「内地最北端」の稚内を含むエリアである。一番北なだけに、北海道が北海道であるゆえんをもっとも象徴するエリアともいえるだろう。

このエリアは「道北」と呼ばれているが、位置関係的には「道西」でもある。基本的振興局単位でいくと、塩狩峠より北、紋別郡の雄武町や下川町より西側というのが、主なエリアとなり、道北を構成する市町村は以下のようになる。

旭川市・留萌市・稚内市・士別市・名寄市・富良野市・鷹栖町・東神楽町・当麻町・比布町・愛別町・上川町・東川町・美瑛町・上富良野町・中富良野町・南富良野町・占冠村・和寒町・剣淵町・下川町・美深町・音威子府村・中川町・

幌加内町・増毛町・小平町・苫前町・羽幌町・初山別村・遠別町・天塩町・猿払村・浜頓別町・中頓別町・枝幸町・豊富町・礼文町・利尻町・利尻富士町・幌延町

とはいえ、これは宗谷、留萌、上川振興局のエリアを機械的に押し込んだものので、これだけだと、本当に「道西」といった感じになってしまう。実際のところ、オホーツク振興局の紋別市周辺は、誰が見ても「北」な場所であることから、いわゆる「西紋（別）」エリアも道北に加え、ついでに道央から離れすぎている深川市周辺も道北に加えるのが一般的といっていいだろう。

逆に、先ほど道央に編入されることもあると説明した富良野エリアについては、除外してもよい。あとは道央に入りたがる旭川の「ワガママ」を、まあまあとやり過ごせばおおよその「道北」が固まってくる。とはいえ、本書では、富良野の話題は道北の章でさせてもらうのであしからず。

さて、道北各地は、現在では旭川市を除いて人口がめちゃめちゃ少ない過疎エリアとなっており（旭川にしても33万人弱しかいない）、人口密度の少なさは全国屈指である。はっきりいえば旭川市も含めて衰退しているエリアだ。

昔は栄えていただけに街の環境は良好

とはいえ、元は下川は羽幌の炭鉱で大いに栄え、留萌港から石炭を出荷して儲かっていた土地である。さらにいえば、明治から平成の頭まで、日本の最大の仮想敵国であったロシア／ソ連との最前線であったことで、稚内の海軍、旭川の陸軍など、多くの軍・自衛隊基地があり、その存在もエリアの経済振興に大きく寄与していた。

これらは、同時発売の『これでいいのか北海道 道民探究編』でも触れた「ドーピング」的な要素で、全道的に存在する「お気楽体質」を生んだ元凶だ。黙っていても金が入ってきた時期があったおかげで、時代が変わり衰退の予兆がはっきりとみえても、それに抗う意欲が薄かった。そしてそのまま、現実の衰退を迎えてしまっているわけだ。

しかし、確かにほとんどの街が衰退傾向にはあるが（高収入の猿払は一旦除外）、街の雰囲気が、他の衰退地域に比べて少し違う。有り体にいえば、文化レベルの高い街が多く、特に留萌や稚内などは、今見ると「なんでこんな最果ての地に」といいたくなる現象が多く見られる。たとえば、大都市圏にしか出店しない大手書店の三省堂が、人口わずか2万5000人レベルの留萌に出店したなんて「珍事」があった。いかな文化事業といえど商売であるから、大手書店の綿密なリサーチで「留萌では本を読む層が多い」イコール「一定以上の文化レベルがある」という分析がなされたのだろう。ちなみに、JRの苦戦度では北海道に次ぐ四国（の徳島と高知）では、書店が減りすぎて当シリーズがなかなか進出できないという事実があったりする。

とはいえ、衰退は事実だ。稚内ではせっかくの大学を支えきれるか危ないところだし、各地に豊富に存在する地域メディアの苦戦も漏れ聞こえてくる。

文化レベルが高いということは、地域に生まれ、将来地域を引っ張っていく有望な若者が、「正確に地域の現状を認識」してしまい、将来に絶望して他の地域に移ってしまうことにもつながりかねない。まあ逆に、地域に根ざした知的素養をもとに、道北を復活させるアイデアをひねり出してくれるかもしれない。期待と絶望が交差する複雑さが、道北という地域のひとつの個性でもある。

ゆがみの最前線は旭川？

そんな道北最大の都市である旭川は、何かと話題が多い。つい先日起こった痛ましい事件もあって、悪評にさらされることも多いが、大都市だけにそれは一面にすぎない。

旭川には、強いプライドがある。旭山動物園をはじめ、常に現状を打破するアイデアがマグマのように噴出する地域でもある。それが、「我こそは道央の一員」とか主張してみたり、「北海道のへそ」という、あまり注目されない「個性」をアピールしちゃったりと「迷走」にもつながっているわけだ。現実の旭川には、かつて街のレベルの高さを象徴していた大型商業施設や映画館、ボーリング場から、郊外のショッピングセンターに街の中心が移っているような一般的な変化が起きている。つまり、かつての一級都市から「普通の街」になってしまったのが、道北の各都市なのかもしれない。この現実を受け止め切れていないことが、道北を苦しめているひとつの要因になっているのだろうか。

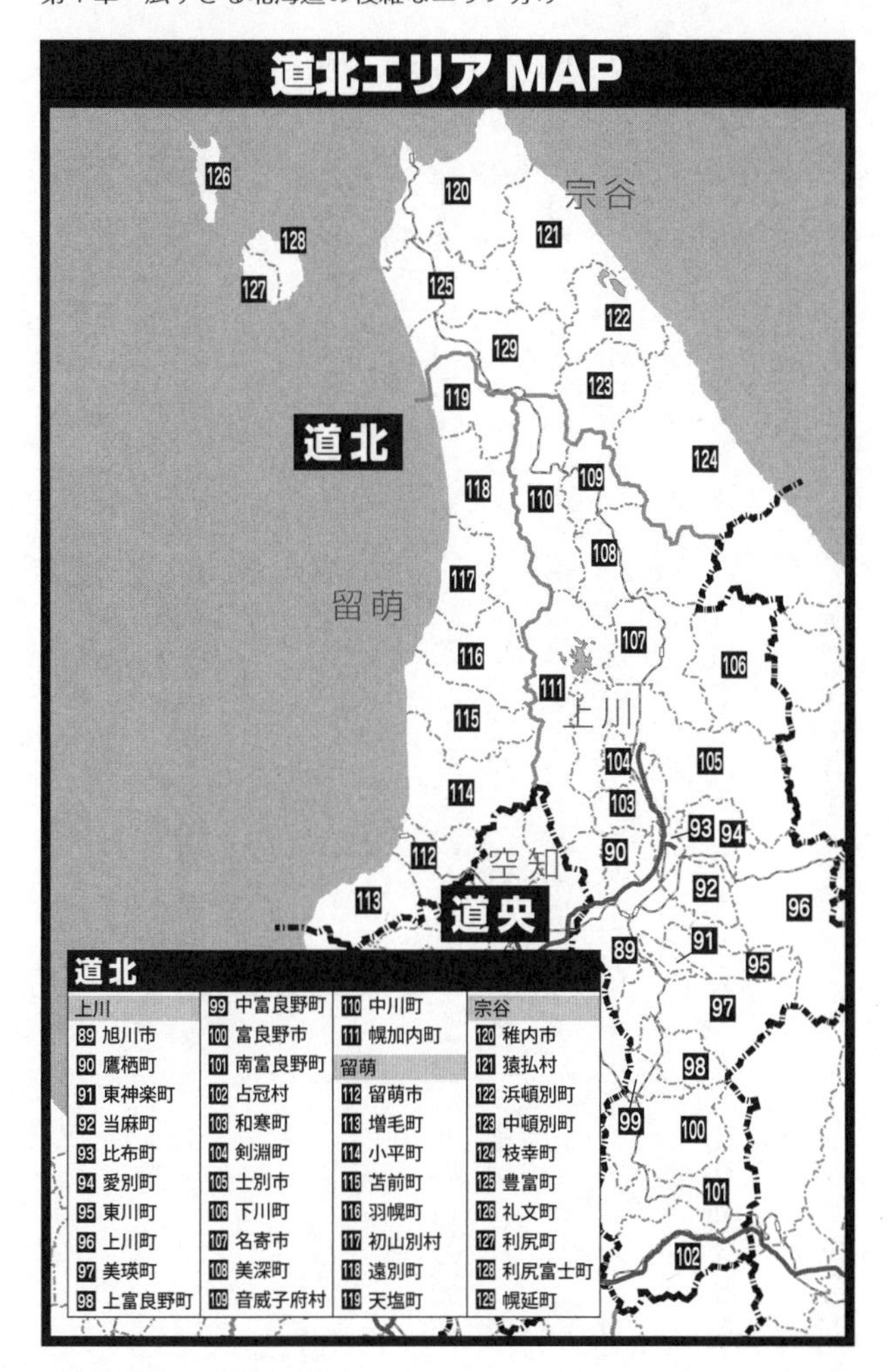
道北エリアMAP
宗谷
道北
留萌
上川
空知
道央
道北
上川
89 旭川市
90 鷹栖町
91 東神楽町
92 当麻町
93 比布町
94 愛別町
95 東川町
96 上川町
97 美瑛町
98 上富良野町
99 中富良野町
100 富良野市
101 南富良野町
102 占冠村
103 和寒町
104 剣淵町
105 士別市
106 下川町
107 名寄市
108 美深町
109 音威子府村
110 中川町
111 幌加内町
留萌
112 留萌市
113 増毛町
114 小平町
115 苫前町
116 羽幌町
117 初山別村
118 遠別町
119 天塩町
宗谷
120 稚内市
121 猿払村
122 浜頓別町
123 中頓別町
124 枝幸町
125 豊富町
126 礼文町
127 利尻町
128 利尻富士町
129 幌延町

北海道で一番アツいのは実は道東なのかもしれない

道東でひとくくりにするのは……

北海道4エリアの最後は道東だ。このエリアはともかく広い。北海道の面積が約8万3450平方キロメートルなのに対し、道東にカテゴライズされる地域の面積は約3万1000平方キロメートル。北海道は4エリアに分かれるのに、3分の1以上が道東なのだ。ちなみに、北方領土も道東にふくめる考え方があるため、北方領土を含む道東の面積は約3万6000平方キロメートルとなり、この場合、北海道の約4割は道東ということになる。人口は2割ほどしかいないけど。

これだけ広い道東には、4つの振興局が含まれる。つまりオホーツク総合振興局、十勝総合振興局、釧路総合振興局、根室振興局である。このうち、生活圏としては根室と釧路に共通点が多く、「根釧圏」という言葉もあるくらいだから、道東には大きく3つのエリアが存在するというべきだろう。

地域振興局を基準にした道東を構成する市町村は以下のようになっている。

オホーツク圏：網走市・北見市・大空町・美幌町・津別町・斜里町・清里町・小清水町・訓子府町・置戸町・佐呂間町・遠軽町・湧別町・（紋別市・滝上町・興部町・西興部村）※紋別エリアは道北に加える場合もある

十勝圏：帯広市・新得町・清水町・鹿追町・上士幌町・士幌町・中札内村・更別村・大樹町・広尾町・浦幌町・豊頃町・池田町・本別町・足寄町・陸別町

根釧圏：（釧路振興局）釧路市・厚岸町・浜中町・標茶町・弟子屈町・（根室振興局）根室市・別海町・中標津町・標津町・羅臼町

他のエリアのように、道東は紋別エリアを除いて「どっちに入る」的な「争い」はあまりなく、むしろ網走と北見、根室と釧路のように、どちらが地域の覇権を握るかといった地域内対立が目立つ（とはいっても、北見と網走の主導権争いは、人口からみても勝負あったという感じだけど）。対立関係ではあっても、ある程度「横のつながり」が存在するエリアといえるかもしれない。

第1次産業の堅実さが道東の個性か

これらのエリアは、それぞれが大きく違う。網走や北見で有名なオホーツクは、もともと「北見国」の領域がメイン。網走刑務所の存在から、映画などで「悪いイメージ」がついてしまった地域だが、同時に日本カーリング発祥の地でもあり、農業、畜産業、漁業がバランス良く、その他地域産業も程よく盛んな「平和で安定した地域」となっている。

逆に、根室と釧路は一発勝負の漁業の街で、お互いに熾烈な争いを繰り広げながら大儲けを狙う漁師町。十勝は酪農と農業を中心としたエリアといった塩梅だ。どの地域も都市型、工業型というよりも第1次産業に強みがある傾向が、道東の共通点といえる。

ただし、ブランド力という点では、道東は他のエリアに劣っているのかもしれない。網走や北見といったオホーツク圏にしても、釧路や根室の根釧圏にしても、その地域「だからこそ」の産物、といったブランドイメージは強くない。唯一、十勝という名前は全国的に知られているが、実態としては大規模農業で政府の管掌作物（政府がある一定の価格で買い取ってくれる作物）を主力としているため、他の地域よりも価格面で優位であった。これが「ブランド化」の努力を鈍らせ、品質に対してあまり高値がつかないという現実を生んだ。十勝の牛やワインにしても実情は同様で、名前は有名でも「安くて高品質」のイメージのほうが強い。広い平野や豊かな海で豊富な資源を抱えていても、それを売って確かな利益を得ていても、ブランド力は高くない「アメリカ的」な状況こそ、道東の実態といえるだろう。

つまり道東は、道南や道北のような「大崩壊」こそ起こっていないし、当面の間は問題なくやっていけるだろうが、それはそれで危うい状況にあるというべきだ。単一の資源、商品に依存しきったモノカルチャー的経済にハマった道南や道北とは違うとしても、今のままでは時代の流れが変わったときに、対応できない可能性がある。要するに、前提条件は違っても、北海道特有の「のんびり」「なんとかなるさ」的な傾向からは、道東も逃れられないわけだ。今はまだ大丈夫なだけの状況を、道東は謳歌しているのである。

北海道は道東に頼るべきだ！

とはいえ、道東の産物は、それこそ牛乳にしろ「普通」のものが主力だ。漁業が特に顕著で、鮭、サンマ、サバ、イワシがメイン。この世の中、道東漁業が「普通」の商品を提供して、その他の地方が「特別なもの」を出荷するというシステムができあがっているといっても過言ではない。

ブランド化して大儲けという構造からは程遠いが、逆に普通だからこそ、簡単には「コケない」という強みもある。であれば、大量の出荷物の一部だけでも、ブランド化の試みを加速させれば、道東は「高級品＋普及品」のコンビで効率よく資源を現金化できるはずだ。現状では基本がしっかりしているから危ない冒険をしても大丈夫。非常に美味しいポジションにいるのだ。

よって、道東各地域がもう少しだけやる気を出し、バランスの良いお金儲けを狙っていけば、衰退地域を復活させるヒントが得られるかもしれない。

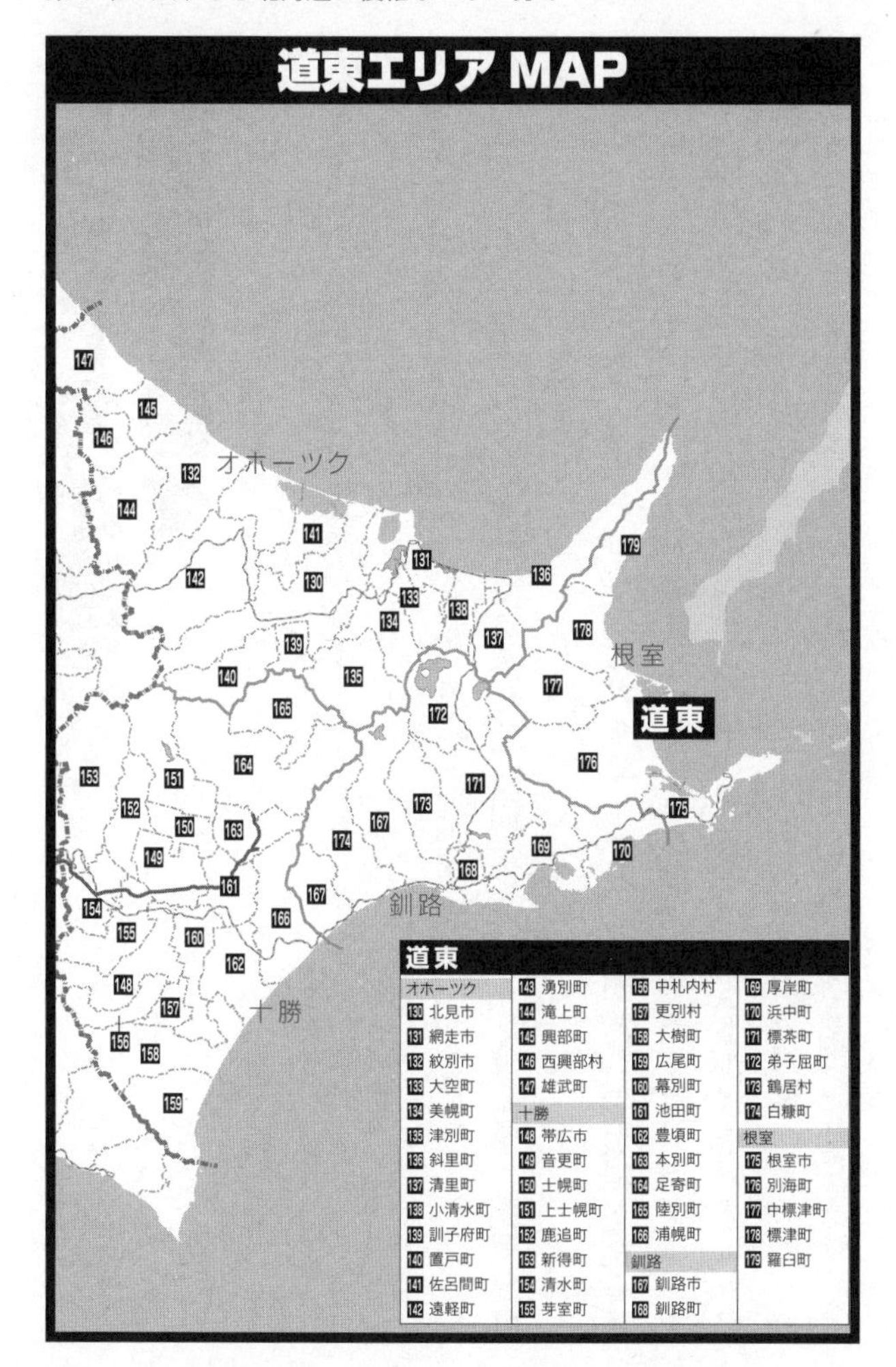
道東エリアMAP
オホーツク
根室
道東
釧路
十勝
147
145
146
132
144
141
131
142
130
133
136
179
138
134
137
178
139
135
140
177
165
172
176
164
153
151
171
152
173
150
163
167
149
174
169
170
175
161
168
154
167
166
155
160
162
148
157
156
158
159
道東
オホーツク
130 北見市
131 網走市
132 紋別市
133 大空町
134 美幌町
135 津別町
136 斜里町
137 清里町
138 小清水町
139 訓子府町
140 置戸町
141 佐呂間町
142 遠軽町
143 湧別町
144 滝上町
145 興部町
146 西興部村
147 雄武町
十勝
148 帯広市
149 音更町
150 士幌町
151 上士幌町
152 鹿追町
153 新得町
154 清水町
155 芽室町
156 中札内村
157 更別村
158 大樹町
159 広尾町
160 幕別町
161 池田町
162 豊頃町
163 本別町
164 足寄町
165 陸別町
166 浦幌町
釧路
167 釧路市
168 釧路町
169 厚岸町
170 浜中町
171 標茶町
172 弟子屈町
173 鶴居村
174 白糠町
根室
175 根室市
176 別海町
177 中標津町
178 標津町
179 羅臼町

ブランド力が強みの北海道の島々

大きな島のほとんどは北方領土

北海道自体が大きな島だが、それ以外にも北海道を構成する島は多い。全周100メートル以上の島の数は508(北方領土を含む)。長崎県、鹿児島県に次ぐ全国3位の数である。

とはいえ、その大半は人の少ない離れ小島……どころか釣りの足場が精一杯の「岩」に過ぎない。何か建物が建てられそうな面積1平方キロメートル以上の島は19と少ない。人が十分に住める面積10平方キロメートル以上の島は9島、「大きな島」といえる面積100平方キロメートル以上の島はその半分の5島となる。ただし、面積10平方キロメートル以上の大きな島には、択捉島、国後島、色丹島、志発島、水晶島、多楽島が含まれ、これはすべてロシア（ソ連）が不法占拠している、いわゆる北方領土だ（同じく北方領土の勇留島も長らく10平方キロメートル以上とカウントされていたが、最新の面積データでは9・9平方キロメートルとなっている）。

北方領土問題は、話し出すと本一冊どころではなくなるのでこのあたりにしておく。とりあえず、現在北海道が「実効支配」している大きな島は、

利尻島：面積182・12平方キロメートル　利尻富士町・利尻町
奥尻島：面積142・90平方キロメートル　奥尻町
礼文島：面積81・33平方キロメートル　礼文町

の3島がある。加えて松前町の大島（渡島大島、松前大島　9・73平方キロメートル）も大きいが、これは無人島であり（無人島としては日本最大）、人間が活動したり観光したりという意味では、他に、

天売島：面積5・47平方キロメートル　羽幌町
焼尻島：面積5・34平方キロメートル　羽幌町
小島：面積0・05平方キロメートル　厚岸町

が存在する。

ブランド化は進むが担い手が

さて、こうして北海道の著名な離島を並べてみると、その知名度の高さを感じないだろうか。これらの島は、離島ではあるが産物は豊かだ。利尻昆布は全国的に有名だし、奥尻島はウニやイカ、礼文島はウニとエビが一押しだ。

さらに、天売島、焼尻島は観光に力を入れているし、礼文島は水産業以外にも「花の島」として知られる景勝地である。

ただ、ブランド力はあっても実情は楽ではない。各島は共通して人口の大幅減少が続き、せっかくブランド力が確立していても、産業の担い手が高齢化し、将来的な維持には不安がある。

事実、厚岸の小島は一応10人程度の人口がいるとされているが、厚岸町の統計書では人口の記載がないし、実態として昆布漁の時期以外は無人だという。ただし、振興計画の書類などを読むと気になることが書いてある。商業においては「インターネットなどによる通信販売普及に伴い閉店する商店もあり」などと記載されているのだ。確かに街の商店がなくなってしまうと、急に必要となったものをすぐに買うことができなくなるなどの不便はあるが、逆に、ネット通販が離島まで到達しているということは、これまでよりも便利になったというか、ネットの普及による恩恵を大きく受けている地域であるともいえる。

現状、北海道の離島地域はブランド化が進み一部の商品はカネになっているが、就職状況という意味では、ほとんどの事業体が家族経営など小規模なため、すでに事業を展開している「既得権益者」以外は雇用されない状況にある。ただ、これはむしろ将来の発展が望める環境であるともいえるだろう。

なぜかというと、小規模経営体で高齢化が進んでいるということは、必然的にネット時代の強みである「遠くからの発信」がまだまだ弱い状況にある可能性が高い。たとえば、インターネットショッピングモールにアクセスして「奥尻島」のキーワードで検索すると、たしかに奥尻町自前の項目もあるが、それはいわゆるふるさと納税商品だ。普通に販売しているのは函館の業者だったりする。

つまり、十分にブランド力がある商品を持ち、まだまだネット進出が「甘い」のであれば、島出身者や移住者が乗り込んで、「本来の意味での中抜（現在は逆の意味で使われることが多いのだが、本当は『中間業者を排除して直販』という意味なのだ）」をしてしまえば、新鮮なウニ、イクラをはじめ、今よりも価格を落として、さらに地元が潤うという構造を作ることも夢ではない。事実、礼文島の業者は、他島の商品にも手を伸ばしているので、この流れを加速させられないだろうか。

それぞれの島が観光にも力を入れているが、どうしても離島へのアクセスは船便になってしまう。わざわざ船に乗ってやってくる気合の入った観光客からは、それなりのお金をとることができるだろうが、やはり絶対数は少ない。観光業はそのまま続けるべきだが、島の経済を支える主力として考えるべきではないだろう。やはり今後は「ネット直販」でどこまで勝負できるかが鍵だ。

現在苦境にはあるが、まだまだ大きな可能性を残す北海道の離島。近年は水産高の減少が叫ばれるが、直販体制を強化すれば、それもある程度はカバーできる。北海道の島々は、気合次第でまだまだやっていける可能性に満ちている。

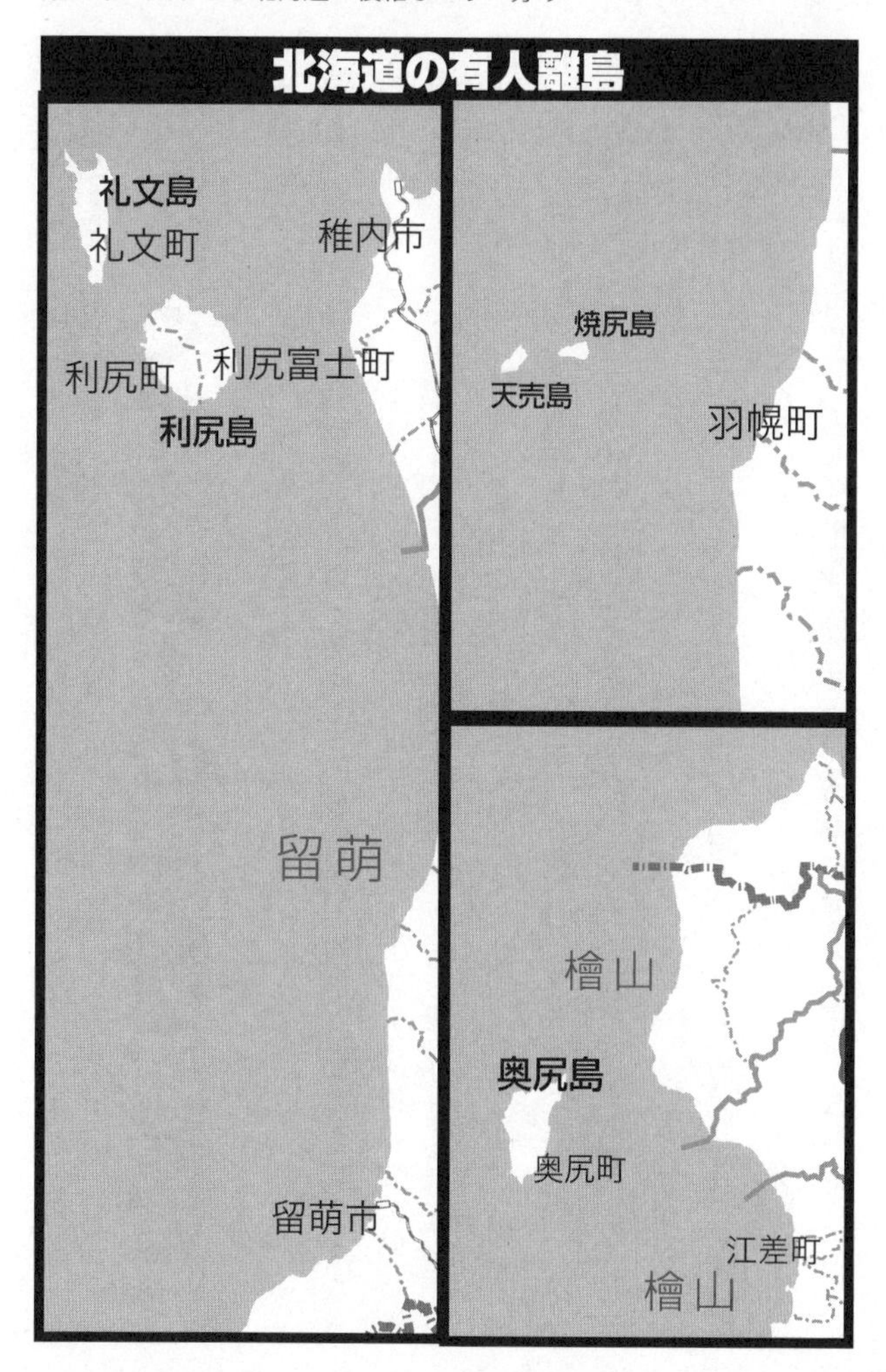
北海道の有人離島
礼文島
礼文町
稚内市
利尻町
利尻富士町
利尻島
留萌
留萌市
焼尻島
天売島
羽幌町
檜山
奥尻島
奥尻町
江差町
檜山

北海道コラム 1

消えゆく北方領土の「本当の記憶」

根室からさらに北へ。千島列島を見れば思い出すのが『アリューシャン小唄』。三沢あけみやこまどり姉妹など多くの歌手に歌い継がれてきた歌だ。「ゆかなきゃならないアリューシャン　ゆかせたくない人なのに」の歌詞はいつの時代も心に染みる。この歌の作詞・作曲者は不詳で、1959年に山田栄一の採譜・編曲、高月ことばの作詞で、久美悦子が歌ってから広く知られるようになった。おそらくは戦前から、海の幸で一攫千金を狙い北の町に集う者たちの間で歌われてきた歌だろう。しかし、ゆかなきゃならないアリューシャンも戦後は、渡ることはできなくなった。

北方領土、そこは日本側から見れば奪われた領土かつ国際政治の最前線だ。とりわけ冷戦期は世界を驚かせる事件の舞台でもあった。もう何年前になるか「ベトナムに平和を！　市民連合（べ平連）」のオルガナイザーだった吉川勇一

の話を聞く機会があった。主な話題は、ベトナム戦争を忌避した脱走米兵を中立国まで逃した時のことである。これはＪＡＴＥＣ（反戦脱走米兵援助日本技術委員会）として組織的に行われたものだが、最初はまったくなにも準備がなかった。脱走を呼びかけているわけでもなく、たまたま脱走した米兵に会ったので「さて、どうしよう」から始まったものだった。思案しているところにやってきたのがソ連大使館の職員。ＫＧＢのエージェントであることは承知の上で協力を仰ぎ米兵を連れて北海道へ。根室沖の海でやってきたソ連船に、米兵は引き取られていった（政治利用はしない約束は守られなかったと聞いた）。

　オホーツク海で繰り広げられる諜報機関の

暗躍。漁場を求める漁民たちには、レポ船として協力する者も絶えなかった。

そんな冷戦の時代も終わり、北方領土をとりまく状況も変わっている。もっとも変わったのは返還をめぐる動きであろう。思いや願いは別として、北方領土が復帰する可能性は極めて低い。ロシアによる空港建設などインフラの整備は進んでいるし、駐留する軍の増強も行われており、ロシア領としての固定化はますます進んでいる。

すでに敗戦から70年以上を過ぎて、元島民の高齢化は進んでいる。かつては約1万7000人いたとされる元島民は、約5700人まで減少。平均年齢も85歳となっている。もはや、ソ連による千島侵攻を体験した記憶を持つ世代もわずか。筆者の世代では、空襲で必死に逃げまどったことや、徴兵されて苦労した体験を語る老人は、周囲に当たり前にいたのだが今ではもうほとんどいない。あの忌まわしい戦争は、もう遠い昔の記憶なのだ。同様に敗戦による領土喪失で引き揚げた人々でつくられる全国樺太連盟は2021年3月に解散し、73年の歴史を終えた。政治的意図とは別に北方領土は歴史の中に消えようとしている。

第2章

首都札幌と勢いを増す周辺地域

ダメダメだった苗穂と新札幌
再開発に地価上昇でウハウハ！

効率的なまちづくりから取り残された苗穂

明治の開拓時代、札幌が中心的に開発されたのは直角に曲がる石狩川の屈曲点に位置し、広大な平野が広がっていたため、新しいまちづくりに最適な土地だと判断されたからだ。この広い平野部を見て「京都のような街になる」とも言われていたそうだ。

その宣言通り、札幌の街は碁盤の目状に整備され、非常に効率的なまちづくりが行われた。今でも、札幌市内の多くのエリアは「新しい街」であることの恩恵を大きく受けているのだが、その効率的なまちづくりの恩恵を授かれなかったエリアがある。それが苗穂駅周辺だ。

苗穂は、札幌の中心部まで2～3キロで、徒歩でも通えてしまう距離に位置する。しかし、鉄路の利便性が低く、札幌駅の隣駅にして運行本数が意外と少ない。平日のダイヤをみると、電車が来るのは昼間で20分に1本、ラッシュ時でも15分に1本という中途半端な駅だ。

こうなった大きな理由は、苗穂がかつて工場と玉ねぎ畑だらけの農工混在エリアだったからだ。札幌の中心部に近く、豊平川があることから、明治の終わりころよりビール工場をはじめとする多くの工場が進出。これらの工場が札幌を支える屋台骨のひとつとなり、街の繁栄に大きく寄与した。こうした立地条件から、都心部に至近でありながら、戦後の住宅ラッシュに対応できず、工場の合間にぽつぽつと家が建つ寂しいエリアにすぎなかった。

ところが1990年代になると、工場の郊外移転が相次ぎ、人口流出や空白地が目立つようになってしまった。そこで、地域住民を主体に「苗穂まちづくり協議会」が立ち上がり、鉄道によって北と南に分かれていた苗穂エリアをひとつの街区として一体化する案が採用されることとなる。2018年に苗穂駅が300メートルほど札幌駅へ近い場所へ移転し、橋上駅舎が完成したのは、実は30年以上前の再開発プランがようやく実を結んだ結果だった。それまで苗穂のネックだった南北分断が解消されたことで、かねてより計画されていた苗穂の再開発が本格化したのだ。

念願の南北通路開通で駅周辺が変貌！

駅移転によって苗穂駅の周りには、広大な敷地が確保され、ここに駅を中心とした新しい街をゼロから作り上げる土台ができた。

こうして完成したのが、地上27階建てのタワーマンション「ザ・グランアルト札幌苗穂ステーションタワー」だ。苗穂駅の北側に建つこのタワーマンションはアリオと直結。つまり、苗穂駅、マンション、ショッピングモールが一体化することとなった。現状のアリオは郊外型の施設となっているが、これが「郊外型来客にも対応できる駅前店」に大きく変貌を遂げた。

さらに、南口にもツインタワーマンション「プレミストタワーズ札幌苗穂」が建設中。これらだけで北口とあわせて700戸以上の住居が確保されることになり、おおよそ1500～2000人程度の住民が、駅直結の環境に住めるようになる。苗穂の強みはそれだけではない。そもそも北3条通で大通りまで直結しているわけで、電車に乗り遅れたらバスに乗ればよく、通勤通学の利便性は非常に高い。しかも、苗穂駅前再開発にあわせ、北3条通では札幌中央体育館の移転新築も完成しており、総合的な住環境の強化はどんどん進んでいる。苗穂は今、札幌でとんでもなくアツいエリアなのだ。

新札幌駅周辺も地価上昇でウハウハ

苗穂の2021年平均地価公示価格は11万3133円で4・33パーセントの上昇率を記録している。全国的に地価が微減の状況にある中で、かなり優秀だ。そんな苗穂をしのぐ勢いで地価が上昇しているのが、かつて副都心に指名されながらも閑古鳥が鳴いていた新札幌駅周辺だ。同地価は12万6077円で、上昇率は6・92パーセント。新札幌は、元々ニュータウンとして整備されたが、今になって団地の老朽化と住民の高齢化という地方ニュータウンにありがちな問題が顕在化し、ニュータウンどころかゴーストタウンまっしぐらだった。

しかし、今回の再開発を受け、にわかに注目が集まっている。駅北東方向の旧市営住宅下野幌団地の跡地を中心に、駅近隣エリアに複合商業施設、タワーマンション、大型病院をつくることが決まっている。駅南方向でも再開発は進んでおり、2021年4月には札幌学院大学の新キャンパスが開設され、地価はうなぎ上りだ。今後、苗穂と新札幌は住民構造が大きく変わり、まったく異なる街へと生まれ変わる可能性が高い。

停滞気味だったエリアを再開発によって活性化させるのは常套手段のひとつ。地価も上昇して住民の資産価値も上がるので、ウィンウィンである。ただ、問題は再開発を終わったあと、いかに継続性のあるまちづくりをしていけるかにある。苗穂は住民主体だけに長く成功をおさめることができるかもしれないが、新札幌の場合は学生の流入などを狙った開発なので、もしかしたら一時的な盛り上がりに終わる可能性も否めない。まちづくりは再開発が終われば万事ＯＫというわけにはいかないことを、札幌市は頭に入れておかなければならない。

苗穂で建設中のタワーマンション。大規模再開発によって、郊外の田舎町が大きく生まれ変わろうとしている

新札幌駅周辺でも再開発が進められているが、施設頼みなので一時的な盛り上がりに終わってしまう可能性も否めない

東京以上のストロー現象で人口を吸引しすぎる札幌

札幌市は道民を吸引し続けるドラキュラか

地方都市の人口は軒並み減少しているが、札幌市は一貫して人口が増加中。2019年にはついに197万人を突破し、200万人に迫ろうとしている。道内人口における札幌市の人口割合は、約38パーセントにも上り、全国人口に対して東京圏が占める割合よりも高い。北海道における札幌は、東京以上に人口を吸引する都市なのだ。札幌はよく「リトルトーキョー」と呼ばれるが、人口の吸引力という意味では「リアルトーキョー」である。

対して、道内の他の都市は軒並み人口が減少している。2020年国勢調査の速報によると、全道人口は522万8885人で、前回調査（2015年）

から15万2848人の減少。市町村別の減少数では、函館市が1万4708人で最多。次いで小樽市1万502人、旭川市1万92人と続く。減少率では月形町が19・3パーセントで最多。次いで上砂川町18・2パーセント、夕張市17・0パーセントとなった。長期の推移を見ると、札幌市以外の道内市町村人口は1970年に約407万人だったが、2020年は約324万人まで縮少した。人口ではもはや完全に札幌のひとり勝ちとなっている。

2012年から2019年で、道内各地から札幌市へ移動した人は約9万5000人と見事なストロー現象を引き起こしている。その一方で、札幌市から転出する人は少ない。札幌市から東京圏に移動した人は約2万5000人で、道内各地から吸引した人口をせき止めるダム都市となっている。ダム都市化そのものは、そこまで悪いことではない。地方の人材をつなぎとめることにもなり、北海道としての衰退を食い止めることにもつながるからだ。

だが、問題は北海道という土地柄だ。北海道は巨大すぎるのである。これが小さな県であれば、県庁所在地を中心としたコンパクトなまちづくりをして、交通利便性の問題を解消するだけで効率的な都市機能を維持することも可能だ。

しかし、北海道は関東6県を丸々ひとつの自治体にしているようなもので、本来なら各地方に県庁所在地のような役割を果たす中心都市が機能することが望ましい。函館市、北見市、釧路市、帯広市、稚内市などが地域を代表する都市だが、札幌市はこうした地域の代表都市からも人口を吸引してしまっている。そのため、各地域での特色ある産業を蝕み、道内全体の経済を停滞させているのだ。札幌市のダム都市化は、北海道という土地柄においてはデメリットの方が大きいといわざるを得ない。

一方、札幌市は『住みたい街ランキング2021』で全国2位になるほど人気が高い。さぞ全国各地から移住者が押し寄せてるかと思いきや、実はそう期待できない。道外からの転出入の超過数を見ると、最多は青森県の323人。次いで新潟県97人、同率で岩手県と宮城県が78人。全体では495人のマイナス。多くは移住というよりも転勤で仕方なく来ている人が多いので、札幌市に定着することはない。ちなみに当の札幌人も、一度道外で就職してUターンするつもりがある人は25・5パーセントで、戻りたくない人は24パーセント。「住んでみたい」と思っているのは、札幌市に住んだことのない人なのだ。

市内の少子化は頼りない男が悪い！

また、札幌市の人口増加は必ずしも都市の成長を意味しているわけではない。北海道における女性が生涯に産む子供の推定人数「合計特殊出生率」は、全国最低の東京に次いで低く、中でも札幌市は2018年時点で1・14と、道内平均の1・27を下回っている。どんどん人口は増えているのに子供がまったく増えないということは、将来的に高齢者ばかりになるということでもある。

このような状況を生み出しているのは、札幌女性の「結婚離れ」である。札幌女性の未婚率は全国平均と比べて、5ポイント以上も高い。結婚しない理由として挙げられているのは「生活資金への不安」。これは全国でも同じような傾向にあるが、なぜ札幌市だけ際立って多いのだろうか。東京で勤めているある20代の札幌出身女性はこう語る。

「なんか札幌の男ってだらしないっていうか、頼りがいがない。飲んでばっかりで仕事が続かない人が多いし。でも、札幌の女性ってけっこう理想が高いから、選ぶ対象がいないんだよね。なんかカッコイイ男の人って、みんな東京に行っちゃってる感じだから、札幌の男で妥協したくないのかも」

あくまで個人的な意見だが、札幌人のぬるま湯体質が、男を骨抜きにしてしまったのかもしれない。あるいは札幌は大都会だというプライドが、札幌女性の強いセレブ志向を生み出しているのだろうか。いずれにしても、札幌女性から見て、札幌男性は「魅力的な物件」にはならないようだ。自慢じゃないが、筆者が東京から来たってだけで、関心を持ってくれる札幌女性がいたのだ。

そんな冗談ばかりをいっているわけにはいかない。札幌ニュータウンを思い起こしてみてほしい。1968〜1980年に造成された市内最大のニュータウンだが、現在の人口はピーク時の2万6000人からほぼ半減し、高齢化率は48・7パーセントと市内でもっとも高くなっている。30〜40年後、これとまったく同じ状況が札幌市全体で起こらないとも限らないのだ。

このまま札幌市のストロー現象と少子化が続けば、近い将来北海道全体が疲弊することは目に見えている。かといって、すでに道民の当たり前となってしまったこの現状をすぐに打破するのは難しい。札幌市がストローで吸引した人材をいかに道内に広げていくかを北海道全体で考える必要があるだろう。

札幌市の転入転出人口データ（単位：人）

転入			
年	総数	道内	道外
2011年	65,862	39,634	26,228
2012年	65,389	39,894	25,495
2013年	66,759	40,962	25,797
2014年	64,735	39,590	25,145
2015年	66,068	40,432	25,636
2016年	68,144	39,479	28,665
2017年	68,340	39,074	29,266
2018年	67,571	38,648	28,923
2019年	69,235	39,089	30,146
2020年	63,859	36,973	26,886
転出			
年	総数	道内	道外
2011年	55,667	29,035	26,632
2012年	56,898	28,311	28,587
2013年	57,994	28,370	29,624
2014年	57,801	27,873	29,928
2015年	59,302	28,504	30,798
2016年	58,245	27,615	30,630
2017年	58,531	27,468	31,063
2018年	58,255	27,137	31,118
2019年	58,119	26,944	31,175
2020年	53,520	26,139	27,381

※札幌市統計より作成

札幌の再開発は盛んだがこんなに作って大丈夫？

都心部に集結する高層オフィスビル

札幌は、破壊と作り直しを繰り返してきた街だ。札幌市民に聞くと上京して十数年後にUターンすると、街並みが一変しているなんてことも少なくないそうだ。その根っこには「飽きっぽい」という典型的な道民気質があるように思うのだが、どうだろう？

今の札幌は、ちょうど作り直しのタームに突入している。詳しくは後述するが、北海道新幹線の札幌到達という来たるべき日に向かって、あちこちで開発が行われているのだ。

まず目を引くのは札幌市役所の向かいに完成した「さっぽろ創世スクエア」

だ。この名前は、周囲の公園や公共施設なども含めたエリア名なのだが、一般的な認識としては、高層オフィスビルを指す言葉となっている。

オフィスビルに入居する企業は、北海道テレビ放送（ＨＴＢ）と朝日新聞社北海道支社などの朝日系マスコミとＮＴＴが代表格。ＨＴＢのマスコットキャラクターである「ｏｎちゃん」がその存在感を誇示している。北海道の名物番組『水曜どうでしょう』でおなじみだったＨＴＢ旧社屋（というよりも平岸高台公園か）が閉鎖されてしまったことを残念に思う人もいるだろうが、これによって札幌のマスコミは、そのほとんどが大通公園近くに集結することとなった。

市民にとって直接的な影響が大きいのは、オフィス棟よりも、並立する低層ビルの「札幌市民交流プラザ」だろう。中でも札幌文化芸術劇場ｈｉｔａｒｕは都心部にできた新しいホールとして存在感を示しており、会場移転を繰り返した「ＳＡＰＰＯＲＯ ＣＩＴＹ ＪＡＺＺ」のメイン会場となった。とはいえ、収容人数は２０００人台の中型施設なので、大規模イベントを開催できるというわけではないのだが、イベント会場が不足気味だった札幌市にとって、有力な施設が完成したことは歓迎すべきことだろう。

セレブマンションは魅力的だけどちょっと高すぎない⁉

新しい住宅建設も枚挙に暇がない。2019年に完成したタワーマンションは創世川に面した「シティタワー札幌」や北海道庁北側の「ラ・トゥール札幌伊藤ガーデン」などが挙げられる。シティタワーはリバーサイド、ラ・トゥールは北海道大学植物園に面しており、ロケーションも豪華だ。

これらのマンションはいずれも都心部に近いが、それゆえに値段が高い。不動産情報サイトを調べると、シティタワーは6390万円から1億2000万円。間取りを見ると3LDKあたりが標準なので、価格としては、東京の都心部とあまり変わらない強気の設定である。

超豪華であることに変わりはないが、ぶっちゃけ利便性については疑問符がつく。これらのマンションの立地は、大手デパートなどには近くても、日用品や食材を購入するためのスーパーなどから離れているからだ。つまり、これらのマンションのターゲットはセレブ過ぎていて、街の経済活性化の主力である中流層の取り込みは期待できない。札幌市の人口は増加しているが、有力な労働力である若い男性は、札幌を離れて他の都市圏に行ってしまうケースも多い。総合的なニーズに対して、高級物件が多すぎるのだ。

おそらく中流層の受け入れ先は、54頁～で紹介した苗穂や新札幌になるだろう。だが、問題はこうした郊外とされるエリアが、都心部と近すぎることにある。たとえば、苗穂のグランアルトは1LDK～4LDKで約3000万円～5000万円。苗穂駅とシティタワー札幌の距離は直線距離で1キロちょっとしか離れていない。

もちろん、札幌中心部のマンションにはもっとお得な物件もある。が、再開発の象徴ともいえるタワーマンションが高すぎて、最終的に部屋余りが続出したりすると、せっかく盛り上がっている再開発に暗い影を落とす可能性も否めない。実際、東京でも都心部のマンションがあっという間に売り切れ、というニュースが出た後に、大量の売り物件が出たなんてこともあった。ちょっと再開発熱に浮かされると、後で大変なことが起きたりするものだ。

そもそも再開発のトリガーとなった新幹線の札幌延伸は、今のところ2031年度を予定している。今からマンションを建てまくっても、恩恵を授かるのに最低10年はかかる見込みだ。いくら札幌が強烈なストロー現象を引き起こしているとはいえ、捕らぬ狸の皮算用なんてことになりやしないだろうか。それに、札幌市内で不動産の売買が活発化したところで、再びどこかの街が割りを食うハメになるだけではなかろうか。

このように、新しいビルがバンバン建っている札幌だが、足元は必ずしも盤石というわけではない。本来、札幌は生活する上での「安さ」を魅力にしていた面もある。再開発で街が活性化するのはいいことだが、本質を見失った開発が続くようだと中心部の空洞化だったり、市内の他のエリアにひずみを生むかもしれない。見た目はよくても結果は最悪にならなきゃいいんだけど……。

新幹線駅予定地周辺はまだなにもできていないが、用地の確保は着実に進んでいる感じ。このあたりも近々景色が一変するのだろう

写真は北4西３再開発の現場。札幌駅からすすきのにかけてのメインエリアでは、今もそこらじゅうで再開発が進んでいる

札幌が待望する2030年新幹線延伸とオリンピックで何が変わる？

札幌オリンピックのレガシーをもう一度！

札幌市は来たるべき2030年を勝負の年として捉えている。「第2回」札幌オリンピック招致と北海道新幹線の札幌延伸が一挙に実現する可能性があるからだ。もともとオリンピックは2026年の招致を狙っていたが、地元経済界の「北海道新幹線の札幌開通に合わせるべし」という声が上がったことと、2018年の北海道地震も影響し、2030年となった。

1972年の「第1回」札幌オリンピックは、まさしく札幌にとってのレガシーであり、札幌人にとっての輝かしい記憶である。

「第1回」札幌オリンピックの招致活動は、今回と同じく1964年の東京オリンピック開催決定直後から始まった。本来は1968年に開催したかったのだが、ここでは投票で敗れ断念。その後も誘致活動を続け、1972年開催にこぎつけた。

当時、オリンピック開催に向けて、札幌市では大規模なインフラ整備が行われた。地下鉄南北線や地下通路はこのときに整備され、大通公園から札幌駅に至るオフィス・商業街も確立できた。

もうひとつ大きな効果ももたらされた。それが「札幌の国際化」だった。オリンピック開催で知名度が上がった結果、観光地としての認知度が大幅に上昇。現在の「イメージのよさ」は、オリンピックがもたらしたものと言っても過言ではない。

1972年の成功は、ある程度十分な準備期間がとれたこと、1964年東京のノウハウがあったこと、そもそも札幌が東京に比べ「開発しやすい」地域であったことなどが大きな要因だった。では、次の2030年は、同じような成功が期待できるのだろうか。

そのカギを握るのは、またもや東京オリンピックからの「学び」にある。2

021年の東京オリンピックはコロナ禍という不測の事態があったとはいえ、準備段階から首をかしげることが多かった。中でも予算の問題は深刻だ。当初7～8000億円を見込んでいたものの、結局4倍以上にもなる3～4兆円にもかさんでしまった。これに対し、札幌は2030年の経費総額を3100～3700億円という超低予算で行うとしている。

市の構想によれば、施設が必要なスピードスケートは帯広で開催、前回問題となったアルペンは既存コースが使えるニセコ（開催実績からいえば富良野も候補に入れるべきだと思うが）、フィギュアスケートやリュージュ・スケルトンは既存施設の改修で賄うとしている。要するに1972年の施設を最大限に活用するわけだ。確かにこうすれば予算を抑えられるし、出費を最低限に抑えて、街の活性化も図ることができる。

だが、それに伴う問題もある。帯広やニセコはなんだかんだいって遠い。そこまでの移動手段は、鉄道にしても道路網にしても、オリンピッククラスの大イベントにおいては少々心許ない。また、既存施設にしても、現代の基準からすれば「ショボすぎる」という問題もある。おそらく当初の計画通りの予算で抑えるのは厳しい。課題は「どこまで増やさずに済むか」である。結局ハコモノ地獄に陥った東京の轍を踏まぬよう、既存の公園に仮設施設を作りまくって成功を収めたロンドンなど、最近の成功例をきっちり参考にして、なんとか札幌市には「2度目の招致実現と成功」をおさめてもらいたいものだ。でもまあ、国民感情として、2021年の東京オリンピックで「もう懲り懲り」なんてことにならなきゃいいんだけどね。

もう一度足元をよく見直してみたら？

札幌市は、このオリンピックと北海道新幹線の札幌延伸とのW効果でさらなる高みを目指している。函館市は新幹線開通の影響で人口流出なんて憂き目にあっているが、札幌市はそもそも函館市とは街のスケール感が違う。むしろ閑古鳥が鳴いている北海道新幹線を復活させる起爆剤になるかもしれない。資金繰りが厳しいJR北海道も最後の意地とばかりに本気度が高いのだ。

JR札幌駅は、すでに2003年に完成したJRタワーを持つ巨大駅となっているが、さらなる巨大ビルを建設するつもりだ。その高さは、なんと地上230メートル。さらに、JRタワーの南側にも新しいビルを作り、230メートルビル、JRタワーにそれぞれ接続する超巨大複合施設にする目論見だ。このビルには「世界展開する高級ホテルやオフィス、商業施設を併設する」という。札幌駅はかなりラグジュアリーに生まれ変わりそうで、いかにも新しいもの好きな札幌人には受けそうだが、高級ホテルが札幌の観光ニーズに沿っているかはビミョーだ。もともとは安価に海外旅行を楽しむアジア圏の人々からなるインバウンド需要がメインだったし、コロナ禍の影響もあって、収束してもどの程度の観光客が戻ってくるかはわからない。ましてや東京オリンピック後には、日本の景気が大幅に落ち込むのではないかという懸念もあり、国内需要を期待するのは危険である。

オリンピック招致と新幹線延伸のための今回の大開発が的を射ているようにはどうも思えない。その上、世情的に今後の予測はさらに困難になっている。計画はすでに走り出しているとはいえ、もう一度足元をよく見て、細部を練り直した方がいいのではなかろうか？

東京オリンピックのマラソン・競歩会場にもなっている。執筆時点で無観客かどうかわかっておらず、札幌人も白け気味だった

2030年にオリンピックと新幹線延伸が同時に実現したら、札幌にとってメモリアルな1年になることは間違いない

道民の中で札幌人は普通か特殊かどっち？

札幌人のベースに眠る仙台藩士の血

北海道という土地柄は、基本的に札幌をベースに語られることが多い。たとえば、一般的に流布されている道民気質は、ほとんど札幌人気質である。本来は気候も産業も異なるので、道内各地で気質はビミョーに異なっているのだが、県民性研究の第一人者である祖父江孝男は「北海道民の気質に大きな差はない」としたため、あまり研究対象にされてこなかった。県民性を調査する際はフィールドワークを何度も重ねることが肝心だが、何せ北海道は広すぎて、まともに研究されてこなかった節がある。そのため、一般的に北海道は「札幌」と誤解されて語られることも多い。『これでいいのか北海道　道民探究編』では、そんな無謀とも思える道民気質の詳細な分析を行っているので、ぜひ本書と併せてご一読いただきたい。

さて、前置きはこれぐらいにしておいて、本題に入ろう。札幌人のルーツには初期の北海道開拓民として入植してきた仙台人がいる。戊辰戦争に敗れた仙台藩の士族たちは、わずかな土地にしがみついて農民になるか、北海道へ渡って開拓民になるかの選択を迫られたのだ。1871年、旧仙台藩の片倉家は所領1万8000石を没収され、家臣団を養うことが不可能になったことから、北海道移住を決めた者も多かった。

続いて大規模な入植があったのは、1875年〜1876年にかけての屯田兵である。主に宮城県や青森県、福島県、山形県などからの入植者が多かった。その後、1887年とその翌年には福岡、熊本、佐賀など九州の士族も入植。これらの人種のミックスが札幌人の原型である。様々なルーツを持つ開拓民たちが寄り集まって暮らす中、古い習慣にこだわっていると諍いなども起きるため、札幌人は「かつてのしがらみにとらわれない」という気質を育んだとされている。

農民エリアとは比べ物にならない生活保護率の高さ

一方、道東では主に富山県や新潟県など、北陸出身者の入植が札幌に比べて多かった。いずれも北国という共通点はあるものの、札幌人の気質は特殊である。その要因となっているのが、仙台藩の士族である。元々仙台藩の士族は怠け者として有名で、明治期の県令からは「とにかく働かない」と厳しく批判されたこともある。

この札幌人に受け継がれた怠惰な気質が、生活保護受給者の多さによく表れている。2018年度の札幌市の生活保護受給率は3・71。トップを独走する釧路市の4・92に比べればマシだが、それでも全市のなかで6位。生活保護受給率の高い地域は士族が多く入植したエリアとほぼ同一なのも興味深い。逆に北陸の農民が開拓した十勝地方や、道北・道東などでは低くなっている。大規模経営の農場が多いことも影響しているのだろうが、士族と農民というルーツの違いも影響しているようにも思う。

札幌人は「いいフリこき」でミーハー

道東や道北などで札幌人について話を聞くと、ある特殊性が浮き彫りになった。それが「いいフリこき」である。北海道弁で見栄っ張りの意味なのだが、基本的に札幌人は「いいフリこき」と言われると、ちょっとムッとする。というのも、多くの道民は見栄っ張りを好まないからだ。素朴で純粋こそが道民の美徳なのだ。

だが、各地の道民から見れば、札幌人は「いいフリこき」である。というのも一端の都会人気取りだからである。おまけに年収は低いのに浪費が激しく、後先考えずにローンで家を建てて悦に入り、車の調子が悪くなってきたからと新車を買ってしまう。その結果、自己破産が相次ぎ、都道府県別の自己破産者数では毎回トップ10入りを果たす要因になっている。これもやはり「いいフリこき」のなせる業である。また、新しい物が大好きだから、新製品と聞けば並んででも買い、自ら進んで毒味役になる。こうした札幌人の性質を利用して、企業はしばしば札幌で商品のテスト販売をしたりもする。

札幌以外の道民は、とにかく並ぶのが嫌いだ。コンビニやスーパーのレジで客が並んでいるとわかると、再び商品棚に戻り、列が引くまでレジに行かない人も多い。だが、札幌人は話題の商品だったり、北海道初上陸みたいな店があったらどんなに行列をなしていても試してみないと気が済まない。スタバの北海道1号店での行列を覚えている人も多いだろう。要するに、札幌人はミーハーなのだ。

このように、実は浮いた存在なのだが、札幌人は自らを北海道のスタンダードだと信じてやまない。むしろ全国的にも常識人で、階級的には「中の上」ぐらいだと思っている。確かに道民人口の約4割を占めるのだから、札幌人がスタンダードだといえなくもない。ただ、他の道民と差があるのは事実である。はたして札幌人が特殊なのか普通なのか。その判断は道民の皆さんにゆだねます。

他の道民から「いいフリこき」とも呼ばれる札幌人。当人たちに自覚はないが、派手で個性的なファッションが多いのも事実

札幌人の弱点は、とにかく働くのが嫌いなところ。十勝人を見習って、もうちょっと我慢強さを身につけたほうがいいかも

人口増加に転じた江別の意外な策士っぷり

札幌に人口を吸引されないベッドタウン

江別市の人口は約12万人。石狩地方で札幌市に次ぐ人口規模を誇り、札幌へのストロー現象を免れている数少ない都市のひとつである。とはいえ、移住者が増えている理由は、あくまで札幌市街地への抜群のアクセスのよさにある。江別市の中心市街地である野幌駅から札幌駅までは約20分、車でも40分ほどと通勤圏内。さらに、新千歳空港まで約1時間、道央道のインターチェンジまであるなど、まさしく交通の要衝だ。要するに札幌市内に通勤する世帯にとっては、最高のベッドタウンなのだ。旭川市あたりだと「札幌のベッドタウン」と呼ばれることに屈辱を覚える人も少なくないが、江別市はむしろ堂々とベッドタウンの王道を突き進んでいる。

明治時代から今に至るまでレンガの名産地であり、「江別のれんが」は北海道遺産、「江別市の煉瓦建造物」「江別市の煉瓦の関連遺産」は近代産業遺産にも認定されるなど、それなりに歴史もある。江別人にとってレンガは身近なものであり、街を代表するプライドだ（あと大泉洋の出身地ってこともね）。だが、最近の江別人はレンガよりも「住みやすい街」と呼ばれることに優越感を覚えているようだ。

２０１９年には15年ぶりに人口増加に転じ、最新の「住民基本台帳人口移動報告結果」では年齢０～14歳の転入超過数で全国12位を記録した。まあ、札幌市は2位なのだが、それ以外で上位に名を連ねているのは、関東圏の有名な都市ばかり。道外へのネームバリューなど、ほとんどないに等しい中での12位なのだから、それだけ住環境が魅力的な街なのだろう。こうした評判は２０１０年ごろからじわじわと道内で強まり、「生活ガイド．ｃｏｍ」が発表した「地域別住みたい街ランキング　２０２０年版」では第5位にランクイン。上にいるのは1位から札幌市、函館市、小樽市、旭川市といった道外でも名の知れ渡るビッグシティだらけである。その中で評判だけでなく、実際に人口が増えているのだから、江別の魅力は単純にアクセスのよさだけではなさそうだ。

ターゲットを見極めた移住アピールがグッジョブ！

まず、江別市は移住者のターゲットを完全に子育て世代に絞っている。そのため、子育て支援がけっこう充実している。生後4カ月までの赤ちゃんがいる世帯には絵本やミルクを配布したり、2歳未満の乳幼児がいる世帯には指定ゴミ袋を無料で配布している。個人的にはゴミ袋の無料は、かなり役立っているのではないかと思う。何せ赤ちゃんのオムツのゴミの量はハンパではない。単身者は「ゴミ袋ぐらい」と鼻で笑うかもしれないが、けっこうゴミ袋代もバカにならないんだよね。

さらに、2020年4月からは子ども医療費助成の対象を、小学1～3年生の通院医療費と中学生の入院医療費・訪問看護療養費まで拡大。入院や訪問看護って実際にはなかなか使う機会がないかもしれないけれど、何よりもこうした支援策を打って、特設サイトでアピールしているということが重要だ。30～40代の子育て世代が情報のほとんどをスマホで入手するというのもあるが、「なんか子育て支援が充実してるみたい！」と女性に思わせることが何よりも大切だからだ。夫婦間で移住先を調べる際、たいていは女性の意見が尊重されやすい。ましてや自己主張が強い道民女性なのだから、子育て世代を獲得するためには、いかに女性に訴求するかがポイントとなる。サイトには小難しい説明を記す必要はない。細かいことよりも「雰囲気」や「ムード」を重視すればよい。その点で江別市の移住サイトは、雑誌のＨａｎａｋｏっぽくて女性ウケもよさそうだ。あ、ちなみに女性に怒られそうだから追記しておくと、女性向けサイトでは情報よりもデザインが大事っていうのは広告会社の常識で、筆者の決めつけってわけではない。

駅前にイオンがふたつもあるコンパクトシティ

江別市で暮らす際のメリットは子育て支援だけではない。買い物も便利だからである。江別人はお祭しの通り、市内に「イオン江別店」と「イオン江別ショッピングセンター」の2つがあるからだ。実はこのイオン、600メートルしか離れていない。その理由は、もともと両者が「ニチイ江別店」と「イトーヨーカドー江別店」だったから。ニチイは「サティ」「ポスフール」と名称変更を経て「イオン江別店」に転身。地元じゃあ、当時の名称から今でも「ポス」と呼ぶ人がいるらしい。

一方のイトーヨーカドーの方は、2007年に閉店してイオンが借り上げ。「マックスバリュ」を核テナントとして開業し、のちに「ザ・ビッグ」となって現在に至る。こちらは「元ヨーカドー」なんて呼ばれる。しかも、このイオンが両方とも野幌駅から徒歩圏内というところが使い勝手がいい。

江別市は、超車社会の北海道にあって、駅中心のまちづくりを進めている。暮らしやすいコンパクトシティを作りやすい環境が整っているのだ。江別市は、道内屈指のベッドタウンを極めた街といっても過言ではないだろう。

江別市には札幌学院大学を始め、4つの大学があり、学生も多い。住みやすさもあって定着する人も高いそうだ

イオンが駅近にあるため、駅中心のまちづくりは一定の成果を生み出し、ベッドタウンとしての機能性は高いといえるだろう

新しい街を丸ごと作る北広島のボールパーク構想は成功するか!?

札幌市の失態で誕生したボールパーク構想

今考えてみると、札幌人にとって2018年は屈辱の年となった。札幌市の代名詞的存在だった北海道日本ハムファイターズがホームタウンを北広島市に移行することを決めたからだ。そもそもの原因は札幌ドームの高すぎる利用料だったことはあまりに有名で、札幌ブランドをこよなく愛する札幌人でさえ、行政のしょうもない殿様商売に、怒りを通り越してあきれ返った。

札幌市がダメダメだったおかげで、恩恵を授かった北広島市は球団と協議を重ねてボールパーク構想を打ち出した。道央民にとっては聞き飽きている話題かもしれないが、改めてボールパーク構想の骨子とその影響について触れていきたい。

北広島市が北海道日本ハムファイターズの誘致に動き出したのは2016年のこと。北海道日本ハムファイターズ・ボールパーク誘致期成会を設立し、その年に暮れには球団に対してボールパーク用地に関する提案書を提出している。その提案書ですでに球場の立地や新駅の設置、駅前再開発に言及しており、この時点でほとんどボールパーク構想の土台はでき上がっていた。

翌2017年には球団との実務者協議に入り、そこからはトントン拍子で話が進み、2018年3月にきたひろしま総合運動公園予定地がボールパーク候補地として内定した。ここに至るまで約2年。著しい人口減少で斜陽だった北広島市に希望の光が降りそそいだ瞬間である。

ただ、あまりにうまく事が運びすぎて、内定当初は地元民にも懐疑的な見方が多かった。当時の市民説明会であがった質問の中で、特に心配されたのは新球場建設にかかる費用を市が負担するのではないかという懸念。しかし、これに関しては市も球団も否定。建設費用約600億円は球団側が負担することになっている。というのも、球団側には支払える算段がついているからだ。コロナ禍以前の球団の売上は約130～140億円ほど。このうちグッズ販売は12パーセントだったので、その額は約16億円にも及ぶ。仮に600億円の建設費用を30年ローンで組んだとすると、年間で支払う額は20億円程度。グッズ収入のほかにボールパークでの収益や広告収入だけで補える。そもそもこうした収入があったのに、札幌ドーム時代は球団の懐に入らなかったというのだから、よく我慢したもんだ。そりゃあ誰がどう見たって札幌市が悪い！

カギを握るのは新駅設置にかかる費用をどう補填するか

２０１８年の市民説明会で市民から面白い質問が飛び出している。いきなり「温泉を掘る構想はあるのでしょうか」と聞いた市民がいるのだ。その場にいたら間違いなく噴き出していただろうが、これは案外突拍子もない質問ではなかった。

ボールパーク構想は単に球場を作って、街を活性化しようというものではない。むしろ北広島市に球場を中心とした新たな街をそっくりそのまま作ってしまうような巨大なスケール感の計画である。まずボールパークには商業施設にホテル、レストランや店舗、温浴施設やグランピング施設も併設する。まだ具体案は公表されていないが、さながら一大テーマパークである。計画案に温浴施設と書かれていたため、前出の市民は「温泉ができる」と勘違いしたのだろう。よもや本当に掘り当てるとは、まさしく至れり尽くせりの施設となりそうだ。さらにきたひろしま総合運動公園線や北進通線などの道路も大々的に開通、拡張させてボールパークへの動線も確保する。

そして何より目玉となるのはボールパーク至近の新駅設置である。球場の立地は北広島駅から徒歩20〜30分の距離にあり、特に夏場に歩いていくのはけっこうしんどい。かといって車のアクセスばかりになると、とんでもない渋滞になる可能性も否めない。主なファン層である札幌人を迎え入れるためにも、新駅設置は必須条件のようなものだった。市と球団が合意した当初、ＪＲは曖昧な態度を貫いていたが、２０１９年に正式に整備案を発表。新駅設置は既定路線となり、予定地もだいたい決まっている。

ただ、ここで大きな問題が発生している。新駅は請願駅となる予定で、建設費は90億円にもなると想定されている。これは北広島市の一般会計予算の3分の1にも及ぶ。単独では到底無理だ。そこで、新駅に一体型のマンションを誘致するなど民間の資金を投入しようという動きを加速させているが、デベロッパーが決まらなかったらどうするの⁉ と不安になる市民もいるだろう。

だが、朗報もある。ボールパーク構想が立ち上がったことによって、周辺の地価がうなぎ上りなのだ。住宅地も商業地も軒並み10パーセント以上も上昇している。経産省の試算でも北海道における経済効果は6000億円を超えるとしている。地価や経済効果を考えれば、土地が余りまくっている一帯を開発したいと考えるデベロッパーが出てくる可能性はある。そうなれば、「ボールパークニュータウン」ができ上がることになるのだ。このボールパークタウンはほぼ間違いなく成功するだろう。メジャー型の巨大ボールパークなんて考えただけでもワクワクするし、レジャースポットとして話題になり、定番化もするはずだ。球団も北広島市も「損して得とれ」で突き進めばいいだけである。プロ野球の2023年シーズンが始まったら、札幌市はその盛況ぶりにきっと臍を噛んでいることだろう。

北広島市で進むボールパークの建設。市民からの注目度も高く、単なる郊外の街に、新たなプライドが誕生しようとしている

新駅設置がボールパーク成功のカギを握っている。とりあえずスタジアム正面のこのあたりが新駅の有力候補地

工業からエネルギー拠点へ一貫性がない石狩市のまちづくり

石狩湾新港に洋上風力発電ができる？

石狩市は、石狩湾新港を中心に600以上の製造業企業が居を構える道内屈指の工業都市である。1970年に北海道総合開発計画において後背地の工業流通団地を含めた地域開発の核となる流通港湾として建設された。現在に至るまで道央圏における物流と産業の拠点を形成している。近年は、北海道内で唯一となるLNG受入基地やLNG火力発電所などの建設も進められており、エネルギーの供給拠点としても重要な役割を担っている。そんな折、石狩湾新港に新たなエネルギー計画が持ち上がった。それが洋上風力発電事業である。

福島の原発事故以来、原子力に代わる再生可能エネルギーへの転換が強く叫ばれている。さらに近年の世界的な排ガス規制の流れにより、日本の主力エネルギーである火力にも今後、大きな期待はできなくなっている。そこで風力発電に再び熱い視線が注がれている。そもそも風力発電には、日本のエネルギーの半分を補えるポテンシャルがある。陸上風力だけでも2億8000万キロワットほどの電力量を供給できるという指摘もある。

それだけのポテンシャルがありながら、まったく風力発電が進まなかったのは労力のわりに儲からず、事故が多いとされてきたからだ。たとえば、2009年に建設した島根県の新出雲風力発電所では、風車の羽根が柱に接触するなど、根本的に起きてはならない事故が相次ぎ、建設から本格的な稼働に至るまで数年を要さなければならなかった。稚内市の宗谷岬ウインドファームのように成功した例のほうが珍しいのだ。

さらに、かつての電力事業は国の補助金頼みで運営されてきた側面もある。制度が改正されて補助金が打ち切られると、途端に採算が取れなくなり、赤字に転落するというケースが相次いだ。しかも、風力発電所を建設しようとすると決まって地元住民の猛反対にあう。かつて千葉県の南房総市では周辺地域を巻き込んで血みどろのバトルになったこともある。要するに風力発電所を設置するメリットとデメリットのバランスが悪すぎるのだ。

石狩のまちづくりは新しいもの好きで一貫性がない！

では、どうして今ごろになって石狩市で洋上風力発電の話が持ち上がってきたかといえば、2018年に「再エネ海域利用法」が成立したからだ。この法律では、関係自治体や漁業団体などの利害関係者から構成される「協議会」を設置することや、促進地域をゾーニングすること、事業者を公募すること、最大30年の海域占有が認めるなど、明確な基準が設けられた。これにより、洋上風力発電が行える地域は限定され、公募で選ばれた事業者以外は実質的に洋上風力発電事業ができなくなる。一方で、選ばれた事業者は30年間の占用ができるので、長期的な事業計画を立てやすく、資金調達もしやすくなる。いってみれば早い者勝ちのような状況なのだ。

石狩湾新港の洋上浮力発電事業に関心を示している業者の中には、丸紅などの誰もが知るメジャー企業も含まれている。洋上風力発電を狙う事業者にとって、石狩湾新港はホットスポットになっているのだ。

なぜ石狩市が狙われているかといえば、すでに物流港湾として整備されているという点が大きいのだろうが、かつての主要産業だった漁業が下火になりつつあるという点もあるのではないだろうか。もちろん石狩市でも協議を進めるうえで漁業関係者から反対の声があがったという。そうした声を反映して、現在は発電機をどこに建てるのがベストなのかというゾーニングについての話し合いがもたれている。

ただ、石狩人は素直というか、お上の言うことや時代の流れには逆らえないような風土が強い。

というのも、石狩市は時代の流れに合わせて、街の姿をコロコロと変えてきたのだ。石狩市は明治時代の開拓期、平野部が砂地のため、酪農が盛んに行われてきた。だが、昭和期になって水田開発に成功すると、一気に稲作ブームが訪れ、町民を挙げた造田が行われた。だが、戦後に札幌市の人口が爆発的に増加すると、今度は大規模団地の造成に鞍替えし、札幌市のベッドタウンへと姿を変えた。そして高度経済成長期に石狩湾新港が造成されると、今度は工業都市の様相を呈していった。ただ工業都市にして、酪農や水田も残っているし、漁業も行われているものの、いずれも帯広市だったり、稚内市のような強烈な個性を持つには至らなかった。石狩人は「石狩にはいろんな顔がある」と話すが、それはまちづくりに一貫性がなく、いろんなものに手を出した結果、ストロングポイントが石狩新港湾しかなくなってしまったとはいえないだろうか。そして、今度は工業からエネルギー拠点への転身をしようとしているのだ。

まあ、そんな日和見の歴史まで事業者が調べあげているとはいわないまでも、アクがないので与しやすい相手と思われているかもしれない。抵抗勢力が強い地域での建設は骨が折れるし、そもそも早い者勝ちの状況なのだから、あまり説得に時間をかけたくないはずだ。先述した南房総市のような反対にあったら骨折り損のくたびれ儲けである。何色にでも染まりやすいといえば聞こえはいいが、単なるミーハーといえなくもない。まあそれで税収が増えて、市民に還元できれば、それはそれでいいんだけどね。

石狩市のまちづくりは一貫性がなく、新しいものに飛びつきがち。アイデンティティの希薄さは道内屈指

洋上風力発電については議論の真っ最中。漁業関係者から反対の声もあったそうだが、建設に向けて着々と進行中だ

北海道コラム ❷

強引な札幌のラーメン発祥説

北海道の3大ご当地ラーメンといえば「札幌味噌ラーメン」「函館塩ラーメン」「旭川しょう油ラーメン」である。道民はとにかくラーメン好きで、都市部では右も左もラーメン店なんていう区画も珍しくない。ただ、3大ご当地ラーメンはどちらかいえば観光用。いろいろと話を聞いてみると「タンメンしか食わない」という人もいれば、「いろいろ行くけど、なんだかんだで落ち着くのは山岡家」という人もいた。福岡をはじめとした九州あたりだと「豚骨以外はラーメンとして認めない」という人が多いが、道民は、ご当地かどうかではなく「ラーメン」であればいいという感覚に近い。この辺は、新しいもの好きな気質のあらわれなのだろう。ただ、いくら好きなラーメンが千差万別だとしても、道民のラーメンに対する思い入れが深いことに変わりはない。

さて、そんなラーメン好きな札幌人から聞いた話だが、「そもそもラーメンは

札幌発祥らしいよ」と謙遜しながら自慢された。このラーメン発祥説は、はっきりとした文献があるわけではなく、全国各地に点在している。有名なのは横浜で、開港後まもなく移住してきた中国人がラーメンを提供していたという説。一方、福岡の久留米でも「豚骨ラーメン発祥の地」を宣言している。加えて道内でも函館の「養和軒」で出していた「南京そば」というメニューがラーメンの原型ではないかと説もある。ただ、これらの説を裏付ける証拠はなく、果たしてどこがラーメン発祥の地なのかは判然としない。だが、横浜説や函館説は、札幌ラーメンが発祥したとされる1920年代よりもずいぶん古い。じゃあ、先述の道民の話は単なるデマだったの

か？

おそらくこの話の発端となったのは、ラーメンそのものではなく、「ラーメン」と呼ぶようになったかどうかの説だ。戦前は「支那そば」と呼ぶのが一般的で、ラーメンと呼ばれるようになったのは戦後の話だとされてきた。かの横浜にあるラーメン博物館では、1958年に「チキンラーメン」が発売されて以降、爆発的に広まった単語だと説明されている。

一方、札幌で「ラーメン」と呼ぶようになったのは、札幌で初めてラーメンを提供したとされる「竹家食堂」で、中国語の「好了（ハオラー＝できました）」と「拉（ラー＝引っ張ることの意味）」をかけ合わせて「ラーメン」と呼ぶようになったと主張しているのだ。札幌人は秘かにこれを「日本最初のラーメン」として、発祥の地を猛プッシュしたいようだ。

ただ、そもそもラーメンの起源もわからないのだから、呼称なんてもっとわからない。札幌が発祥と謳っていいのは「味噌ラーメン発祥」ぐらいじゃなかろうか（これも様々な説があるけれど）。

第3章
名門小樽も苦しむ
札幌以外の道央各地

運河はあってもそれだけじゃ……小樽の苦境の理由はどこに？

裕次郎の栄光も令和には通用しない

小樽がダメなのか？　と聞かれたら、もうダメだろうと答えるしかない。小樽出身の有名人といえば、まず石原裕次郎である。昭和の大スターが3歳から9歳までを過ごしたという縁で1991年に石原裕次郎記念館ができた。そのころの人気はすごかった。1999年には勢いにのって、今のウイングベイ小樽のところに石原プロワールド・西部警察までできた。1200円払って入ると大門軍団の車とか置いてある熱いスポットだった。

しかし、続かなかった。閉館の理由は施設の老朽化と入場者の減少だった。閉館した2017年8月31日には全国からファンが詰めかけたが、それでも3

000人程度。そりゃそうである。40代の筆者にとってもリアルタイムの裕次郎は、『太陽にほえろ』の終盤あたり。裕次郎がスターとして大活躍し、人々を熱狂させた映画は大学に入ってからオールナイトで観たのがはじめて。石原というとむしろ兄貴の石原慎太郎に記者会見で「馬鹿野郎」と怒鳴られたほうが記憶に残っている。ファンの世代交代ができないのだから、入場者が減少していくばかりなのは仕方がない。

運河を埋めたのがウンの尽き

小樽の衰退は運河を埋めたことだった。小樽の観光資源となっている運河は1923年にできたもの。元々は小樽港で荷揚げする荷物を艀に詰め替えて、倉庫まで運ぶ目的だった。これは戦後、埠頭が整備されるまで続いた。しかし、埠頭が整備されると、今度は運河は無用の長物となった。運河のせいで道路が渋滞するので運河も倉庫も潰して道路にしようというのだ。これは10年あまりの議論になって、結局、運河の半分を埋め立てて道路にすることになった。今、全長1140メートルの運河のうち大半は、半分を埋め立てられて20メートル幅に。北運河と呼ばれる北部は当初の40メートル幅で保存されている。この保存運動によって、小樽運河は全国に知れわたることとなり、小樽が観光地となる出発点となった。それまで、産業も衰退し、何もない土地だった小樽は、衰退して始めて観光地として価値を得たのである。

これを見事な再生と評価する向きは多いが、実際にはどうだろう。いかんせん、都市としては脆弱である。同様に水路が観光地となっている地域としては岡山県倉敷市がある。倉敷市の場合、観光地以外にもコンビナートを有しており産業構造は多彩だ。対して小樽市の場合は港湾の存在意義がどんどん薄れている。小樽港とは別に石狩湾新港があるとはいえ、流通網が太平洋岸に移動した現在となっては厳しい。

要は、衰退の結果、観光に強く依存した土地になってしまったのだ。元々運河がすんでのところで保存されたのも、有幌の倉庫群を取り壊すところまで取りかかったはいいが、石油ショックで工事が停滞したのが理由だった。苦境は、すでに大きく押し寄せていたのだ。

ポートフェスティバル的な熱狂をもう一度

そんなころに、小樽で盛り上がったのは若いパワーだった。1978年にポートフェスティバルが約10万人を集めて初開催されている。このポートフェスティバルは、行政も企業も関係なく小樽の若者たちが手作りで担う祭りとして始まった。元々、小樽市民には運河に対して思い入れはあまりなかった。そうした中で、運河をただ保存するだけでなく、そこで騒いで遊ぼう……すなわち、生きた存在へと転換させるポートフェスティバルは市民の賛同を得た。ここで芽生えた新たな小樽の胎動は、全国的にも珍しかった。そこには「なんだかよくわからないが面白そう」という空気感があった。

この時代、小樽には古い倉庫などを利用した喫茶店が多く生まれている。今、あちこちで見られる古民家を再利用したカフェ。インスタ映えするようなオシャレスポットではなく、そのへんのオジサンやオバサンもやってきて、若者たちと混じって話をするようなスポットである。こうしたイベントや店を通じた世代間の交流、運河の保存への賛意が分け隔てなく話し合われた結果として、間をとって半分を埋めることになったといえる。

しかし、それから長い時が経った。すっかり商業的な観光に依存するようになった小樽には、もう熱気はなく運河にすがった産業構造だけになっている。その点で、小樽はもうダメになってしまったといえるだろう。もともと運河を埋め立てて道路を建設した目的は、札幌に直結することだった。運河の保存を望む声の中には、札幌の衛星都市になることを拒否する北海道随一の先進都市である小樽のプライドもあった。運河によって観光地として注目されたことで、プライドは数十年によって保たれた。しかし、それももう限界である。

2020年に至り、小樽市はついにまちづくり指針「第2期総合戦略」で札幌のベッドタウン化を打ち出した。この指針を決める市人口対策会議で座長を務める小樽商大の鈴木将史副学長は「かつて札幌はライバルだったがプライドは捨てた方がいいという声もあり、傾聴に値する」とも発言している。こうなると、運河を保存しプライドを維持してきた数十年は無駄だったのか。小樽市民の悩みは尽きない。

なんとか踏ん張っている小樽の商店街。ただし寿司屋通りなど、全盛期に比べかなり勢いを失ってしまったエリアも多い

運河沿いの倉庫街は、一部は現役の倉庫だが、多くの建物は飲食店などに改装されている。普通のファミレスであっても一味違う？

ウイングベイは小樽の悩みの種でも商店街は好調なんだって！

札幌の通勤圏になるはずなのに

前項に続き、まずは小樽のプライドの問題から話していかなくてはならない。商都として、北海道経済の中心地を担ったこともある小樽だが、地理的条件に恵まれているとはいい難い。元々、小樽は松前藩の商場が置かれていた土地で札幌の海の玄関口として発展をみた。良港ではあるのだが、周囲を山に囲まれており地理的条件は決してよくない。どうやっても開発に限界のある土地である。それでも、商都として発展した自負がそうさせたのか、小樽はベッドタウンとなることをよしとしなかった。札幌周辺の江別市や石狩市、北広島市などが札幌のベッドタウンとして発展をしていくのを横目に、過去にこだわったのである。結果、現在では人口でも江別市に抜かれてしまっている。かつて、人口20万人あまりを誇った広すぎる街だけが残っているわけだ。江別市で今もっとも発展しているのは市役所周辺。最寄り駅の高砂駅までは札幌駅から最短26分。31分かかる小樽駅よりも利便性が高いかといえば疑問だが、ベッドタウンとして開発が進み、住みやすさで優れる江別市のほうが選択されるのは、当然である。札幌に通勤していたら、毎日運河のまわりを散歩して暮らすというわけにはいかない。ともあれ、札幌に通勤するという前提で住むならば、距離だけではまったく問題がない小樽。それでも、人口減少が続いているということは明らかに観光以外の面で魅力がないということだろう。

巨大モールも小樽には重すぎた

小樽の衰退を如実に示すのが、小樽の一大ショッピングモール、ウイングベイ小樽をめぐる問題。これは1985年に当時全国的にブームとなりつつあったウォーターフロント開発の小樽版。この後計画は進み1999年に当時日本最大級の商業施設・マイカル小樽としてオープンを果たした。これは、本来は小樽市民が誇っていい施設である。小樽築港駅から直結し、ホテル・グランドパークとも一体化している。地方都市で、これほどの施設もあまりみない。

ところが、破綻は早かった。2001年にはマイカルが経営破綻したことで連鎖的に運営会社の小樽ベイシティ開発も民事再生法を申請。2003年にはウイングベイ小樽として再スタートするが、固定資産税は滞納したまま。ついには小樽市が土地の差し押さえを行う事態になった。元々は、小樽市も参加して始まった事業のはずなのに差し押さえに至るあたり、混迷していたことがよくわかる。これに伴ってホテル・グランドパークの前身だったヒルトン小樽も経営破綻する事態に。

もう、この時点で誰かがあまりにも広すぎるとして、すべて止めてしまえばよかったのだがそうもいかない。あらゆる手段を用いて、存続が図られた。以降、この施設の歴史は運営会社が債権をいかに減免してもらうかの歴史となった。主要な債権者はテナントでも入っているイオンである。元々会社の整理でマイカル北海道がポスフールとなりイオンになったわけだが、同社が持っていた債権は約１９４億円に及ぶ。２００７年には小樽ベイシティ開発が特定調停の申し立てをするも、これまた難行。２０１２年にはしびれを切らしたイオン側がイオン小樽店の賃料の支払いを拒否する事態にまで至っている。

２０１７年には、小樽市が特定調停の申し立てで一旦解除していた土地を再び押さえる事態にまで発展。ここでわかるのが、小樽市に問題解決能力がないばかりか、減ったとはいえ人口11万人を抱える都市で、誰も問題を解決できる人材がいないということである。これはベッドタウンへの舵とりが遅れたこととも関連づけられるが、リーダーシップを執る人物が皆無なのである。

結果、２０１７年に小樽ベイシティ開発は再び民事再生法申請に至っている。この間の調停の状況をみるとイオンは約１９４億円に及ぶ債務を特定調停で約29億円まで圧縮することで合意している。要は大まけを認めているのである。にも拘わらず、スポンサーも確保できず金融機関からの資金調達もできなかったのだから、完全に見捨てられた物件なのである。

こうして、破綻しているけれども営業を続けている状況のウイングベイ小樽。テナントは埋まらず４階の１番街と６番街の部分は永遠の改装中になっている。

それでも、人が入っているのはイオンとスーパービバホーム、ニトリ、しまむらが存在しているからである。この4つの店舗のどれかひとつが欠けただけでも、一気に客足は遠のきそうだ。

そもそも、小樽という土地、それも中心街の外に大型モールがあるという構造に無理があったというのが小樽市民の見方だ。車や電車に乗って「遠出」するのなら、多少時間はかかっても札幌に行くよ。それが市民の本音だろう。

この状況を尻目に、賑わいが増しているのが小樽都通り商店街である。どこの地方都市でも、商店街は大型商業施設の前に衰退の一途を辿っているが、この商店街は活力を持っている。1990年代には、郊外店に押される形で衰退した商店街は、小樽駅と運河の間にある地の利を生かしている。榎本武揚ゆかりの地であるということを宣伝したり、アニメグッズの店舗があることを利用してコスプレイベントを開催したりと様々手を打っている。多くの商店街が老朽化でアーケードを撤去する流れになっている中、2002年にアーケードを新築したことも、今となってはプラスになっているのだろう。実際、2020年にはコロナ禍にもかかわらず新規出店が相次いだことで注目されている。

小樽市が放った必殺技だったはずが、一転して大荷物となってしまったウイングベイ。建物自体はなかなかイケているのだが

ウイングベイと直接つながる小樽築港駅。周囲にはマンションもできており、こちらはそれなりに「役に立っている」模様だ

再開発がやっと終わった岩見沢
それでも見通しは暗いのか

死ぬほどヤル気のなかった岩見沢

かつては近隣の炭鉱の石炭を運ぶ鉄道の街として栄えた岩見沢市。現在も函館本線や室蘭本線、道央自動車道や国道が交差する交通の要衝であることには変わらない。しかし、そんな繁栄も今となっては見る影もない。

今の岩見沢市は函館本線沿線が札幌のベッドタウンとなって存続することに夢を託すだけだ。しかし、この岩見沢市がベッドタウンとして繁栄する道のりは、なかなか厳しい。大型店舗は国道12号に沿って建設されたため、地域最大のモールであるイオン岩見沢店は車がなければ到達困難。つまり車がないと不便な土地である。もっとも、車があればなんとでもなるので、それを前提に広めの一戸建てを求める人には絶好の立地ともいえる。

そんな岩見沢市の難題は、国道12号沿いににぎわいの中心が移ってしまったことに対する駅周辺の再開発であった。岩見沢では1986年にダイエーが1000台収用の無料駐車場を備えて開店。以降、ニトリやクリエート・セキなどがオープンしたが、市街地の衰退は著しかった。岩見沢市では早期から再開発に着手し、1986年に第三セクターの岩見沢都市開発株式会社設立。1988年には岩見沢ポルタとしてふたつのビルを建設。この時に核となったのは入居した西友岩見沢店であった。当時としては規模の大きいスーパーが入居することによる相乗効果で周辺商店街の活性化も図られた。しかし、実際には想定どおりにならず、競合関係となり商店街はさらに衰退することになった。

これは再開発が失敗したというよりも、商店街があまりにも無為無策だったためである。当時、西友やダイエーは19時か19時半には店を閉めていたのだが、商店街は日が暮れる時間には店を閉めるのは当たり前。ポルタに客が集まる日曜日には商店の3分の1が休んでいた。当時の道新にも経営コンサルタントのコメントとして「商業者とは思えない感覚」と書かれているから、よっぽどヤル気がなく殿様商売をしていたのだとわかる。当時の岩見沢商工会議所のアンケートでも、ポルタ来店者のうち市外客の51パーセントが「岩見沢での買い物が増えた」と回答する一方で、大半が地元商店街には寄るつもりもないと答えている。それでいて、商店街ではポルタができたせいで売り上げが減ったと嘆いていたのだから、もう打つ手はなかった。

こうして20年あまり、商店街は衰退し、西友には客が集まる構造は続いたが、それも終わりの時が来た。郊外の大型店が増えたことで西友が2009年3月での閉店を決めたのである。再開発ビルから核テナントが消えるという一大事である。西友閉店後、専門店テナントは残ったものの客は来なくなった。市では、道内外の10社に西友の後継を打診したものの、すべて断られるという事態に。

この間、ビルを運営する岩見沢都市開発も経営難に陥っていた。なにしろ、固定資産税の5億円すらも滞納していたのである。2009年11月には、大口債権者のうち1社が建物・土地の競売に踏み切ったが、入札はなかった。それくらいに、どうあがいても不良債権にしかならない。こうなると市が買い取るしか方法はないのだが、その要請も難行していた。商店街連合組合や商工会議所も打診をしていたが、市はなかなか結論を出さなかった。というのも、市民や市議会では、第三セクターとはいえ固定資産税を滞納している企業にさらに税金を投入することに批判の声があったからである。当時、岩見沢市はのちに衆議院議員となった渡辺孝一が市長の時代である。２０１０年11月には市長選が予定されていたため、選挙前に結論を出すのは避けたいという意向が働いているのではないかというのが、大方の見方であった。

結局、２０１１年5月に市議会はビルの購入と改修を盛り込んだ補正予算案を可決。岩見沢都市開発は解散となり、新たにビル管理を行う第三セクター・振興いわみざわが設立された。

意義を感じない再開発の進展

こうして、廃墟となる寸前で市に買い取られた岩見沢ポルタは、であえーる岩見沢の通称で、今も存続している。しかし、今となっては存続が奇跡である。スーパーは無事にAコープが入居しているのだが、ビル全体のテナントを見ても郊外店には明らかに見劣りしている。そもそも、1階部分に膨大な空き店舗を抱えているあたり、もう存続していることが奇跡ともいえる。

元々、このビルは商業ビルとしては欠点だらけである。駐車場は不十分で多層階になっているために、フロアごとの使い勝手はこの上なく悪い。フラットな構造の郊外店にはどうやっても負けている。流通専門誌『激流』2010年9月号では、市による買い取りの足踏みを取り上げ「どちらに進んでも、空き店舗の再生につながらない文字通りの袋小路」としている。まさに、そのとおりである。

そんな中、岩見沢駅周辺では再開発による区画整理が進み、従来線路で南北に分断されていたエリアが改良された。岩見沢駅の駅舎は全国各地をまわってきた我々からみても、かなり豪華な建物になっている。だが、果たしてこれによって、岩見沢駅周辺はベッドタウンになるだろうか？　駅ばかり立派でも、周辺がこの有り様ではちぐはぐ過ぎる。もはやこの先は、旧岩見沢ポルタを取り壊して、商店街もまとめてリニューアルするくらいの、大規模な再開発をする必要があると思うのだが。

西友を失いすっかり沈んでしまったポルタ（現であえーる岩見沢）。街の中心は完全に大和周辺に移ってしまい、復活の目は薄いか

岩見沢駅周辺が沈んでいるのに、あまりにも巨大で立派にリニューアルしてしまった岩見沢駅。「無用の長物」という言葉が浮かぶ？

アイヌ最大の居住地 胆振・日高地方の今昔

アイヌ文化が色濃く残る二風谷はすっかり観光地

北海道では1972年から定期的に『アイヌ生活実態調査』を実施している。最新の調査は2017年。対象は「地域社会でアイヌの血を受け継いでいると思われる方、また、婚姻・養子縁組等によりそれらの方と同一の生計を営んでいる方」で、各市町村が把握することのできた人に、様々な質問をしている。その調査によると、アイヌが居住しているのは63市町村。人口は減少の一途をたどっており、1985年は7168世帯2万4381人だったが、2017年には5571世帯1万3118人と約半減している。居住している地域を総合振興局別に見ると、胆振総合振興局がもっとも多く1970世帯4864人。

次いで、日高振興局が1762世帯3679人で、このふたつの地域で全体の65・1パーセントを占めている。中でも平取町にある二風谷は人口の過半数をアイヌが占める地域とされている。

現在、二風谷はアイヌと和人の共生が進んでおり、アイヌ文化は貴重な観光資源となっている。アイヌの伝統的工芸品「イタ」や「アットゥシ」の産地としても知られ、今でもアイヌ文様を掘る作家が多数暮らしている。2018年には、伝統的なアイヌの工法で造られた家屋「チセ」が並ぶ「二風谷コタン」も誕生し、『ゴールデンカムイ』のヒットも相まって、多数の観光客が訪れる人気スポットになりつつある。

先住民族であることを認めさせた二風谷ダム訴訟

今でこそ和やかな二風谷だが、過去には悲しい歴史もあった。二風谷ダム訴訟である。聞いたことのある道民もいるだろうが、改めてこの事件を振り返ってみたい。

1969年、政府の鳴り物入りで苫小牧東部大規模工業基地の開発プロジェクトが決定。苫小牧市・早来町・厚真町にまたがる約1万1250ヘクタールに及ぶ地域を工業用地にすることが決まった。当初の目標では1985年には3兆円規模の大工業団地になる予定だった。だが、1989年になっても工業用地の分譲は全体の17・6パーセントに留まり、プロジェクトは大失敗に終わった。結局、1450億円もの借金を残しただけだった。

この計画で、工業用水の確保に向けて二風谷ダムの計画が持ち上がり、周辺地域の用地買収が開始されたが、その進捗は芳しくなかった。前述のとおり、二風谷は歴史的にアイヌの居住地であり、反対するアイヌが少なくなかったのだ。だが、開発局は用地買収が終わらぬうちにダムの着工に踏み切るという暴挙に出た。これに納得がいかないのはアイヌである。アイヌの萱野茂と貝澤正は開発局との会合を開き、「アイヌの権利回復に向けた条件闘争の場」として、徹底抗戦の構えを見せた。対して、開発局側は土地収用法に基づいて、周辺の土地の強制収用に乗り出し、両者の対立は深まる一方だった。結局、北海道収用委員会は開発局による強制収容を認める判断を下し、ダムは着工してしまった。その結果、流域で洪水が頻発するようになった。

この訴訟は、最終的に最高裁にまでもつれ込み、そこでアイヌの先住性が認められ、裁判はアイヌ側の勝利に終わった。この判決の意義は非常に大きかった。それまで「少数民族」としてしか見られていなかったアイヌを「先住民族」と認めたからだ。だが、裁判が長くもつれ、アイヌの先住性は認められたものの、萱野茂らの請求は退けられた。とはいえ先住民族として認められたことなどから、アイヌが置かれていた状況が、広く日本人に知れ渡る契機ともなった。

全道民に広まりつつあるアイヌへの理解

こうした経緯から、平取町ではその後もアイヌ文化の継承を町の基本方針に据えた。「平取町アイヌ施策推進地域計画」を策定し、アイヌはまちづくりの中心となったのだ。先に述べた「イタ」や「アットゥシ」などの保存や「二風谷コタン」の造成は、この計画の理念に基づいたものである。平取町では小中学校でアイヌ語の授業も行われているそうだ。そう考えると、二風谷ダム訴訟は日本人にとっても、アイヌにとっても歴史的な転換点ではあった。

筆者は取材もかねて、静内にあるシャクシャイン城址にも足を延ばした。そこにはアイヌの歴史を示す碑文やシャクシャイン像などが建てられていたが、胆振地震によって倒壊した。現在は区域内の別の場所に新しく石碑とシャクシャイン像がそびえている。像の土台には鈴木直道知事の名が刻まれていた。

今回の取材で思い知ったのは、道民たちは、アイヌの文化を守ろうとする意識がけっこう強いことだ。特にその意識は胆振・日高地方に強烈に根づいているように感じられるが、あまり関係のない北見人も「アイヌ文化も北海道の文化」と公言していた。居住する人口を見れば、胆振・日高地方こそアイヌ最後の楽園であることは間違いない。いまだにアイヌ差別は根強く残っているのも事実だ。だが、かつて先住性を訴え、最後まで裁判で闘い抜いた萱野や貝澤らの思いは、確実に他の道民全体にも広がっているように感じた。

新たに建設されたシャクシャイン像には、鈴木直道知事の名が刻まれている。道民のアイヌへの理解は少しずつ進んでいるようだ

シャクシャイン城址のすぐ近くに胆振地震によって倒壊した石碑が残されている。アイヌは日高地方の歴史を伝える財産でもある

鉄の街・室蘭に再生の可能性はあるのかないのか

鉄と歓楽街の街

室蘭といえば幌別芸者である。かつて出張族が多かった室蘭。都会から来た彼らはせっかくだから羽を伸ばそうと宿は登別に。なにしろ、車なら40分で到着する男の楽園である。この登別で男たちは幌別芸者と遊んだのである。

幌別芸者とは、元々登別の夜の言葉である。登別の芸妓組合の取り決めで芸者が足りない時は幌別から呼ぶことになっていたことに由来する。登別も今は鄙びた温泉地だが、かつては夜の街で栄えたところ。往時には芸者も多かったが、それでも40人弱である。バーやクラブのホステスを合わせても60人程度。旅館とホテルがあわせて20軒くらいある温泉地にしては、少なすぎた。そこで、呼ばれたのが幌別の芸者衆というわけだが、実態は違う。だいたいが、室蘭の製鉄所の奥さん連中だったのだ。

元は、奥さん連中の謡や踊りの同好会に頼んで、お座敷で余興をやってもらっていたのだが、それが高じてプロになったという具合である。いわば、母ちゃん芸者なのだが、評判になるのは当然「自由恋愛」も盛んに行われていたからだ。いやいや、このシリーズのほかの地域でも書いているが、現代のパパ活だけでなく素人が春を売るのは日本では当たり前に行われていた行為である。それこそ赤線が現役だったころの資料を読むと、工業地帯の赤線に「女工が多い」と平気で書いてある。元来、登別は温泉地としては格が高く赤線の時代から値が張ると評判だったので、幌別芸者もかなり古くからあったのかもしれない。１９７０年代の資料で登別の芸者は１時間で１万円。それが幌別芸者だと１時間２０００円程度ですんだ。これはお座敷の料金なのだが、誘うと虎杖浜まで行くのは当たり前。虎杖浜は今でも変わらぬラブホテル街。その手のモノ好きにはラブホなのに温泉付きということで知られている。

そんなことがカジュアルに行われていたのは、どの世帯も旦那が製鉄工場に勤めているから。だいたい工場勤務の家は六軒長屋に暮らしているから連帯感も強い。それでいて、隣の家もピアノを買えばうちもと見栄をはる。はたまた、当時の室蘭では男たちの間では「無尽」が盛んに行われていた。一人寝も寂しいし、お金ももっと欲しい人たちが暮らす室蘭には資本主義があったのだ。

狂ったように栄えた製鉄の街

今では信じがたいが室蘭の夜の街は人が絶えなかった。最盛期16万人を数えた人口のうち、10万人近くはなんらかの形で製鉄所に関係していた。ネオン街に毎年落ちる金は60億円ともいわれていた。なにせ人口16万人に対して、最盛期でキャバレー5軒。バーとクラブが430軒。料理屋35軒。そのほか飲み屋を含めると1000軒である。みんな会社の経費で飲みまくるから落ちる金もハンパない。1970年代までは3軒に1軒の家には水商売の娘がいるといわれたし、内地のように色眼鏡で視られることもなかった。東京から転勤してきた本社の人間の現地妻になって財を築くこともあったという。

金が飛び交う一方で、環境は悪かった。市民ひとりひとりの肩に鉄の粉が染みこんでいるといわれているが、ゴホゴホと肺の悪そうな咳をしている者もいた。公害が問題になる以前は、工場から鉄の粉が飛んできてキラキラと舞っていたというから、とんでもない状態である。それでも、まったく問題にならなかった。なにしろ、市議会は共産系が1～2名当選する以外は、すべて新日鉄か日本製鋼の会社関係と組合の推薦である。まさしく完全な企業城下町であるが、華やかなのは確かだった。都市対抗野球の時など、応援席は着飾ったクラブのホステスや芸者でそれは華やかなものだった。

滅びの街は再生できないのか

しかし、すべては夢のように儚く終わった。1969年に最大人口18万3000人に達したのをピークに衰退は加速度的に続いた。2005年には人口は10万人を割り込み、ついに8万人規模まで落ち込んだ。中央街はシャッター街を超えた廃墟の街に。かつて1万人規模の工員が3交代で操業していた工場は、特殊鋼へと変わることで維持されているものの、労働者の数は少ない。もはや鉄鋼が国内の主力産業ではなくなった現状において、いまだ鉄に依存した産業構造になっている室蘭が衰退するのは当然の成り行きであった。

それでも室蘭がまだマシなのは人口の減少にあわせてコンパクトシティ化を進めているからであろう。室蘭衰退の象徴ともいえる出来事は2010年1月の丸井今井室蘭店の閉店であった。1981年に中央町から中島町へ移転した同店は室蘭を象徴する商業施設。通例、大型店舗の閉店にあって自治体は後継店舗を探して維持を試みようとするものだ。ところが、当時の新宮正志市長は閉店後に「空き店舗の状態が長期化するくらいなら、店舗を解体して更地にして欲しい」と要求。丸井今井はこれに応じて建物を解体。その後、出店を検討していたヤマダ電機が、2011年9月にヤマダ電機テックランド室蘭店を出店した。さらに市で、市道を挟んで店舗と駐車場が離れてしまうというヤマダ電機の懸念に対して、市道の廃止まで実施している。

かつて栄えた多くの地域が、過去に固執し、結果として中途半端な再開発や、打つ手のないままで滅びていく中で、室蘭は再生の可能性を見出している。

八戸へ向けてフェリーの出港する室蘭港。旅客も運んでくれるが、メインは貨物である。そのため駐車場は広く確保されているようだ

誰も歩いていない商店街から突如として歌声が。取材した休日にはちょっとした祭りが開かれていた。もっとも集まっている人はわずか

物流を中心に稼ぐ苫小牧でもガラが悪いのはなぜなのか

北海道ナンバーワンの犯罪都市

苫小牧といえば、まず治安の悪さが目立つ街である。

本書執筆時の2021年6月にも、市内でクルマを暴走させ通行人などをはねたとして22歳の男が逮捕されている。暴走の理由は「イライラしたから」だったというから、ヤバイ。同じ海沿いの街でも室蘭はかつての狂乱から落ち着いた街になっている雰囲気があるが、苫小牧は真逆である。

全国どこでも港町には治安のヤバそうな地域があるが、苫小牧にも独特のヒリヒリとした緊張感がある。2020年の市の発表では、2018年の人口1万人あたりの刑法犯認知件数は人口5万人以上の道内15市で最多を記録。札幌が人口1万人あたり60件なのに対して63・7件となっている。室蘭市は、35・9件なので雰囲気だけではなく現実に犯罪は多いのだ。中でも、全体の6～7割は窃盗犯で、万引・自転車盗難・車上荒らしが多いという。恐ろしいのは、市がデータを発表しつつも犯罪が多い理由については分析していないことである。一応、防犯カメラの増設やパトロールなどは実施しているものの、もっとも大事な犯罪を減らす意欲は薄い。つまり、市の方針は自分の身は自分で守れということか。なんか、開拓時代のアメリカ西部みたいだ。

流通拠点として栄える苫小牧

そんな苫小牧市は北海道内では栄えている街である。要因は物流の拠点となっていること。貨物を運ぶだけではない。内地の人間にとってはフェリー航路が到着するところなので、足を踏み入れたことのない人でも名前は知っている。もともと、苫小牧は室蘭と並ぶ企業城下町であった。1910年に創業を開始した王子製紙苫小牧工場は、現在でも主力工場のひとつ。中でも新聞用紙は国内需要の約25パーセントがここで生産されている。とはいえ、今では王子製紙は往時ほど勢いはない。かつての苫小牧は室蘭の鉄に対して紙の街であった。バルブの独特の匂いがする駅を降りてタクシーに「会社」と告げると黙っていても王子製紙の工場へ運んでくれたし、「ホテル」といえばホテルニュー王子へ連れて行ってくれていたものだ。そんな王子あっての苫小牧が激変したのは1970年代後半のことであった。苫小牧東部開発の着工である。

この大規模な開発は苫小牧の力関係を激変させた。それまで街は「王子あっての苫小牧」であった。室蘭がそうであるように会社の権力は絶大。室蘭よりも会社の影響力が大きかったのは膨大な土地を所有していたから。もともと王子製紙の進出にあたっては苫小牧と千歳が激烈な誘致合戦を行った。結果、村をあげて私有地を提供し、人夫出しまですることを申し出た苫小牧が勝った。この結果、旧市街地は3分の2が王子製紙関連の所有、市役所も地代を払っていた。今の北海道苫小牧工業高等学校の前身は町制を施行後の1923年に誕生した北海道庁立苫小牧工業学校だが、この時も王子製紙の多額な寄付があった。そして、工業学校よりも、東京から転勤してきた社員の子弟のための中学校の設置を要求する王子製紙と地元との悶着もあった。

そんなモノカルチャー経済で発展した苫小牧の転機は、1953年の王子製紙争議である。150日も続いた争議を契機に会社は近代化を進め、工員の住宅も六軒長屋から鉄筋コンクリートのアパートに変わっていった。そうして余った土地が分譲されていく過程で、次第に苫小牧の王子色は薄れていった。そして1963年に「原野をひらく人造港」とうたわれた苫小牧港が開港。これが国際貿易港に指定されたことで、苫小牧は北海道の流通拠点へと躍り出た。最初は貨物列車が苫小牧駅へ、のちにはトラックが直接港へと出入りし、苫小牧は王子の街から貿易港へと次第に姿を変えていった。

ここで決定打となったのが、1963年に大泉源郎が市長になったことだ。臨時職員からたたき上げで助役まで登り詰めた大泉は最初、社会党の支援で当選。要は革新市制なのだが、大泉が目指したのは企業誘致による脱王子路線であった。苫小牧港の完成後に始まっていた湿地を埋め立て、そこに建設した工業用地へ工業を誘致したのだ。この誘致は思いのほかうまくいき宇部興産・出光興産・日本軽金属などが進出し、苫小牧は紙の街から道内一の工業都市になった。さらに1972年から本格化した国による苫小牧東部開発計画により、苫小牧から千歳までの一帯は工場に倉庫、コンテナターミナルや石油備蓄基地の並ぶ巨大産業集積地へと変貌した。今や工業用品だけでなく、農畜産物の流通拠点ともなっている苫小牧は、日本の食を支える街でもある。

栄えてもボスがいない伝統がネックに

道内の経済低迷を尻目に繁栄する苫小牧。なのに治安は悪い。確かにパチンコ屋はやたらと多くて流行っているし、ガラの悪さは工場と港で栄える街の宿命かもしれない。でも、それ以上に問題なのは、街にボスがいないことである。公職者の選定にも私企業の意向が働き、その後は王子と脱王子が市を2分する経験をしてきた苫小牧には軸がない。伝統的に行政は信用されず、もめ事を丸く収める地域の顔役も育たなかった。単なる原野だった土地に産業は育ち街は潤ったが、その間に精神的風土を育てる余裕はなかった。栄えるほどに苫小牧の苦悩は続いていく。

遙かな苫小牧港には次々と大型船が入港していく。原野に生まれた港が一大拠点となったのだから、この開発は大成功だったのかもね

物流拠点として存在感を誇る苫小牧。道路には大型トラックが多いこんなところ運転するのはけっこう怖い。地元民は平気なのかな？

自治体破綻と映画祭
夕張の本当とは

北海道で喰らう焼きそばとザンギ

炭鉱なき後の夕張が、唯一無二のお祭り騒ぎになる機会。それが「ゆうばり国際ファンタスティック映画祭」だった。筆者が最初に取材に赴いたのは2006年のこと。『悪魔のいけにえ』のトビー・フーパー監督はいい人だった。

夕張市が市をあげて開催する催しは、それはド派手でにぎやかなものだった。確か出品作の監督は旅費も交通費も支給されていたはず。筆者は出品作の関係者だったのでパーティーは無料。ゆうばりホテルシューパロで開かれるパーティーは、国内外の関係者に加えて、入場料を払えば誰でも入れるとあって大盛況。テーブルには北海道自慢の料理が山のように並んで、食べても食べても次から次へと追加されていたのを覚えている。

夕張市が破綻し、財政再建団体になったのは、その年の6月だった。

再び、映画祭を訪れたのは２００８年。関係者も有料のパーティーには、やきそばやカラアゲ（ザンギ）がわずかに並んでいた。

「なんてところに来てしまったんだろう……」

最初から、ずっとそう思っていた。破綻前から、祭典の中にヤバさは漂っていた。映画を観る気も起きないので、石炭博物館に出かけてみた。市街地から遠く離れた博物館に向かうバスはなく、数台しかないタクシーで十数分。営業はしているものの、冬に訪れる人などまずいない惨状だった。

そうなのだ、あえてこんな土地に住むことを選択するもの好きは、まずいない。確かに夕張には、大いに繁栄していた過去がある。しかしそれは、ただ石炭が採掘されるという理由があるから人が集まっていたにすぎない。それがなくなった時に、多くの住民（そこには「出稼ぎ」の人も多かっただろう）は去っていき、夕張はもう人が訪れたい街ではなくなっていた。「炭鉱から観光へ」のスローガンは、最初から無理だったのだ。

地域に金をばらまき無残に散る

炭鉱閉山前から夕張の滅亡は見えていた。1982年に前年の大惨事を原因にして倒産した北炭夕張は、鉱産税の61億円はもとより労働者の賃金すら払えなかったため、市が炭鉱住宅と所有地を約26億円で購入。さらに北炭夕張病院も市が引き受けた。その前から炭鉱が整備していたインフラは事業の縮小のたびに市に移管することが繰り返されていた。

1979年から1994年まで炭鉱の閉山跡処理には583億円が投じられた。こうした中で中田鉄治助役が観光開発を掲げて市長に当選。「夕張石炭の歴史村」を中心にした観光振興は、一時は伸びを見せ1990年には「活力あるまちづくり優良地方公共団体」として自治大臣に表彰されている。しかし内実は悲惨だった。冬は雪に閉ざされる観光資源もないところに観光施設を、それも地元業者保護のため随意契約で次々と発注していた。そうした施設の資金は国と道から投入される補助金である。これらの運営を担う第三セクターの石炭の歴史村観光と夕張観光開発は社長は市長、幹部は市からの天下りであった。

活力あるまちづくりの実態は、数打てばあたるとばかりに次々と施設を建設して金をばらまく無計画なものだった。映画祭もまた、そうした事業のひとつに過ぎない。無軌道さを極めたのは1992年に松下興産に約30億円で売却したホテルシューパロの扱いだ。同社は1996年に稼働率の低さから撤退を決定。すると市は借入をして約20億円で買い戻した。2002年には同社が開発したホテルマウントレースイとスキー場を約26億円で買収している。民間が運営困難とみた観光施設を行政が買い取り運営するのだから、無茶である。

この背景には地元業者や市民からの強い要望があった。夕張市破綻の原因には、こうした事業のために最終的にはヤミ起債までおこなって資金を浪費したことや、市と関連団体の過剰な職員数と人件費が挙げられる。でも、よく考えれば、それを求めていたのは夕張市民だったのだ。もはや炭鉱もなくなり、資源もなく長い冬は雪に埋まる土地に「夢よもう一度」と市民たちは願ったのだ。

なぜ、そこまで行政にすがるのかヨソの人間には理解し難い。その背景にあったのは、やっぱり炭鉱である。元来、炭鉱では会社が住宅だけでなく光熱費や風呂などの生活基盤をすべて負担するのが当たり前であった。それを炭鉱が閉山した後に行政が肩代わりするよう求められたのである。市のほうも人口の流出を避けるために引き受けるしかなかった。夕張市は、恐るべき共犯関係の中で、滅びへの道をたどったのである。

図書館すら廃止された滅びの街へ

実質倒産しているのだから財政再建は容赦がなかった。第三セクターは廃止。市職員は給与を大幅カットしリストラ。市議会も議員数を18人から9人に。市民税なども値上げとなり、ゴミ処理も有料化された。公共施設の廃止は、公衆トイレにまで及んだ。図書館も廃止。2011年に東京都から出向していた鈴木直道が市長になるという新しい動きも見られたが、悲惨な状況は変わっていない。とりわけ、コロナ禍では唯一の特産品ともいえる夕張メロンが外国人技能実習生が来日できないために減産する事態に陥っている。あの問題だらけの「実習生」に頼っていた夕張。その体質は今も変わっていないとみえる。

自治体の破綻という前代未聞の前例を残した夕張市。鈴木北海道知事が東京都庁から「助っ人」に来たことも話題になった

かつての夕張は映画の街として著名だったわけだが、街の破綻とともに映画祭も尻すぼみとなり、往時の勢いを取り戻すのは困難だ

核問題でモメる古宇郡と寿都郡

核のゴミで自治体が潤う

某原子力企業に勤めている友人がいる。15年ほど前に青森県に転勤になって東京に出てくるのは数年に一度。ありていにいえば六ヶ所村なんだが、3年ほど前には「定年の時になっても完成してないいんじゃないかなぁ」とポツリ。現在、公表されている完成予定は2022年。ちなみに25回目の完成延期である。

そう、原子力産業は膨大な時間を浪費する産業となっている。まず場所の選定にも膨大な時間、施設の建設にもさらに長い時間が必要である。中でも結論が出ないままになっているのが高レベル放射性廃棄物の最終処分場である。世界各国で原子力発電が行われているが、最終処分場の建設を完了し、稼働の準備を進めているのは世界でもフィンランドのオンカロ処分場だけ。日本では1976年から本格的な検討を始めているが、いまだに結論は出ていない。決まっているのは地震や火山の噴火にも強固で地下水の汚染も避けられる地下深くへの地層処分をおこなうこと。具体的には処理の済んだガラス固化体にした廃棄物をコーティングして、安定的な地盤の地下に廃棄していくわけだが、放射能が無害レベルになるまでは数万年。そのため、管理は非現実的で原発に反対する人たちの大きな論拠にもなっている。

とはいえ、原発を稼働させている限り廃棄物も出るので、問題をいつまでも先送りするわけにはいかない。日本では、岐阜県瑞浪市の瑞浪超深地層研究所と北海道幌延町の幌延深地層研究センターで地層処分の研究が進められている。

半永久的に核のゴミを受け入れることになるので、どこも来て欲しくない嫌悪される施設かといえば、そうではない。全国的に興味を示す自治体が増えている。なにしろ過去の地震などを調査する「文献調査」を実施するだけで年間2億円あまり。さらに実際に地層を調査する「概要調査地区」となれば年間20億円が交付されるのである。財政難の自治体にとっては魅力的だ。

北海道の財政を核のゴミが救うのか？

この巨額の金目当てに、北海道では相次いで手をあげる自治体が出てきている。2020年8月にはかねてより文献調査への応募検討の方針を表明していた寿都町が町議会全員協議会を経て、正式に応募。続いて、神恵内村でも商工会が提出した文献調査を求める請願を賛成多数で可決している。もう、このふたつの小さな自治体は前のめりで文献調査で交付金を獲得しようと必死だ。

これに対して知事は北海道の「核抜き条例」を盾にして即座に反対を表明した。とはいえ、その反対の声も次第にトーンダウンしているという風聞もある。なにしろ、ちょっと調べるだけでお金がもらえるのだ。実際に建設されるかどうかは別に、もらえるものならもらっておけというのが、ふたつの自治体の態度なのだろう。それを見抜いているのか、ふたつの自治体を選挙区としている国会議員は明言を避けている。まあ、これが一番賢い。

こんなイレギュラーな手段でもお金を得たい気持ちはよくわかる。寿都町はいわば北海道の産業構造の変化で見捨てられた土地だ。江戸時代から商場が設けられていて、明治になると鰊漁で大いに栄えた。現在も漁業は盛んだし、わかさいもの発祥はこの町である。その繁栄の象徴は鉄道だった。函館本線の支線を要望するも実現しないことに業を煮やした地元では、黒松内駅から町内まで資金を集めて鉄道を建設したのである。こうして１９２０年に寿都鉄道が開通。鰊だけでなく、寿都町役場のところにあった寿都駅近くには銅・鉛・亜鉛を採掘する三菱鉱業寿都鉱山があったことから、その輸送もあって経営は順調だった。しかし、１９６２年に鉱山は閉山。鰊もまったく獲れなくなったことで経営は暗転する。１９６８年には豪雨で路線が被害を受けたことで運行を休止。長期にわたって賃金が未払いになるなど悲惨な最期を迎えた。そんな目に見えるような衰退を経て、今や町内を訪れる人も少ない。

神恵内村も全盛期は鰊漁でにぎわった。積丹半島の果てにある村は道路の整備も進まず、長らく船が交通の主役であった。鰊が獲れるから人が住んでいたわけである。日本海側の海上交通が主役だった時代ならまだしも、時代の変化した今ではどうあがいてもメインから外れた地域なのである。それでも、村がなんとか生き残ってきたのは温泉があるからだろう。神恵内青少年旅行村は道内でも人気のキャンプ場として知られているが、ただそれだけである。

２０２１年にさっそく交付金を得たふたつの自治体では、交付金を取り入れた予算案を組んでいるが、これはすでに自治体の未来のなさを示している。使途の決まっている部分をみると、既存の事業や人件費の支払いにあてているのである。これまで原発関連で資金を得た自治体は、その莫大な資金で公共施設を整備したりスキー場なり観光施設の開発をおこなってきた。しかし、ふたつの自治体はとりあえず金は得たものの、具体的にどう使っていくかの未来像も描けていないのである。折しも、この原稿を書いている最中に寿都町では２０２０年10月の町長選に向けて反対派候補の擁立が報じられた。寿都町はこれまで20年にわたって町長選が実施されてこなかった。要は、人口の少ない土地であるから対立を生まないような調整が行われていたのである。しかし、巨額の金は町を分断することになっている。

もはや産業もなく将来像も描けない中で混迷している。問題の焦点は、核の是非よりもそっちのほうである。

高レベル放射性廃棄物の最終処分場誘致のメリット

文献調査	年10億円で最大20億円の交付金(2年間)
	原発の場合は年1.4億円
	火力発電所の場合は5000万円
ボーリング調査	年間20億円(合計最大70億円)の交付金(4年間)
精密調査	交付金は未定。14年程度

20年程度毎年億単位の交付金が！

※ NUMO公表値・各種報道から作成

北海道コラム 3

室蘭暗黒史

室蘭の昔を知るには、まずマンガである。曽根富美子の『親なるもの 断崖』は、この地域の歴史を語る上で欠かせない。この作品、元は秋田書店の『ボニータイブ』に1988年から連載され、1992年には日本漫画家協会賞優秀賞を獲得している。とはいえ、その後は忘れ去られた作品だった。ところが2015年になって電子書籍になったところ再評価が始まった。様々なサイトの広告で、この作品が表示されるとついつい読んでしまう人がいて、口コミで話題になったのだ。物語の舞台は幕西遊郭である。昭和のはじめ、青森の農村から売られた娘たちの物語。タイトルの由来は地球岬のこと。「親である断崖」の意味で死にたくなったらここに来いというわけである。実際、作中では登場人物がここで死ぬ。幕西遊郭は内地に行き場を失って流れ着いた者たちの集う悲しい場所であった。

この遊郭ができたのは明治初期、札幌本道の工事が行われていたころだった。1872年に始まった工事では内地の各地から数千人が募集された。札幌と道南を結ぶ幹線道路の工事だから、早く立派な道路を通さねばならないというわけで、開拓使では東京で選抜を行って優れた人物だけを送り込んだ。

優れた人材とはいえ、気候は厳しく工事は難工事だった。山の岩盤を人海戦術で切り崩していくのである。危険を顧みない工事で多くの者が死んだ。死んだ者は中央町と母恋を結ぶ峠のあたりに仮埋葬され、誰というなく峠を仏坂と呼ぶようになった。道には昭和になって市役所通りという名前がついたが、今でも仏坂の名前は消えない。今は仏坂招魂碑が歴史を語っている。後に「行こか幕西、帰ろか母恋、ここが思案の仏坂」という俗謡も流行った。

そんな必死の工事に従事する者たちを相手にしたのが、初期の幕西遊郭であった。ほかに娯楽もない中で遊郭は繁盛した。それでも、この界隈では喧嘩が絶えず、やがて幕西坂には人殺し坂という名前がつくほどであった。『親なるもの 断崖』の作者である曽根は、そんな歴史を持つ室蘭の出身である。作品を描くにあたっては多くの史料を参考にしたとはいうが、史実から考えると、いくら売春防止法施行以前の遊郭でも、そんなことができるのかというツッコミどころも多い。とはいえ、多くの屍の上に街を建設し、日本が帝国主義の魔力に魅了され、発展していく中で栄えた室蘭の一面を捉えていることはいうまでもない。

これまで全国の各地をめぐってきたが、街の建設に多くの犠牲が払われたことや、現代からみると非人道的な扱いがあった負の歴史はどこでも隠蔽されるか、お仕着せの美談に置き換えられている。それらを隠すことなく多く記録しているることは、室蘭の特徴ともいえる。こうしたところに、室蘭が低迷しているとはいえ、まだ街が持ち堪えている理由が見えてくるような気がするのだ。

第4章
北海道始まりの地
観光が頼みの道南

函館のホテル多過ぎ問題は新ステージに突入!?

安い男性天国で繁盛した函館

コロナ禍で日本の観光産業は壊滅しているのに、函館はとんでもない。2020年に函館にやってきた観光客の数は、前年度比で46・5パーセント減少で310万3000人。半分近く減っているのに、まだそんなに来ているのか。人口は約26万人なのでだいたい函館の街を歩いている人は観光客である。この函館、昔から悪くいう人は少ない街である。出かける人も帰ってくる人も「よかった、よかった」と言うのだ。特にピンクのほうはそう。北洋船団の華やかなりしころは「クジラ後家」がたくさんいる夜の街として知られていた。函館というところは北海道でも物価の安いところとして知られていたのだが、オンナの値段が安いと評判だった。それこそピンクの街はもちろん、共済会館のあたりから駅にかけては毎晩２００人はくだらない街娼が立っていた。松風町のところにあったヌード劇場のフランス座の近くの狸小路や、国際通りあたりの飲み屋は、ちょんの間。そうそう、素人娘のハントにも事欠かない街だったな。

そんな函館の街が極めて健全な雰囲気の観光地となったのは、いつごろからだったか。たしかＮＨＫが『北の家族』を放送したころだったと思う。朝の連続テレビ小説の第13作目。中盤までの物語の舞台は函館だった。１年間放送されたこのドラマがきっかけで函館には観光客がワンサカと増えたのだ。そう「函館の街には主演の高橋洋子ちゃんみたいな女の子がいっぱいいる」と噂になっていた。余談だが、このドラマの翌年、高橋洋子は『サンダカン八番娼館 望郷』で主演をしている。なんとも演技の幅が広い。

ともあれ、これは当時としてはかなりブームになった作品だった。なにしろドラマが話題になるやいなや観光客は増えた。それまで年間２００万人くらいで推移していた函館の街の観光客が一気に３００万人に達したのだ。これは、ドラマになると聞いた現地の準備もよかった。業者が集まって「北の家族協力会」を立ち上げて、まんじゅう、せんべい、弁当なんかの便乗商品を次々と発売したのだ。元々、ドラマの舞台も当初は松前か江差が予定されていたのだが、地元の有志がＮＨＫのディレクターを口説いて函館に持って来たというから、熱の入り方が違っていたわけだ。

ホテルだけで潤ってきた函館

そんな函館の悩みといえばホテルである。いや、ホテルが少ないのではない。ホテルが多すぎて人手が足りないというのが長らく函館の悩みだった。２０１６年の北海道新幹線の開業は、青森方面ではほぼ効果がなかった。開業当時、青森県の駅で北海道方面から下車してくる乗客をおもてなししようと待ち構えていたら、誰も降りなかったのは話題になった。対する函館では新幹線効果でとにかく観光客が増えた。そうした中、ホテルというのは建物だけつくれば完成というわけではない。人材不足は深刻だった。２０１６年６月の宿泊施設従業員を含む「サービスの職業」の有効求人倍率は２・０２倍で全職種の平均の

２倍になっていた。それまで、さすがに過当競争だと囁かれていた函館のホテル業界だが、人手は足りないし客も多すぎるという状況になったのだ。なにせ２０１６年にはそれまで１泊朝食付きで５０００円だったホテルが８５００円に値上げしても客が来たというのだから、狂乱のブームである。

その後も、ホテルの新規開業の波は止まらなかった。２０１９年の時点で函館市内には宿泊施設が１７０あまり。部屋数は約９０００室にまで達していた。こうなると、人手不足はさらに深刻化した。清掃会社でもベッドメイキングなどの仕事は新規に受けるのは困難になり、いよいよ市が主婦層の就業を目論見体験事業を実施したりまでしている。

この間、函館の経済そのものが絶好調だったというわけではない。２０１９年２月には駅前の棒二森屋が閉店している。函館の顔だった老舗百貨店も郊外の大型店舗にはかなわなかった。人口も道内のほかの地域と同じく減少傾向である。なにより、市の財政も脆弱である。２０１９年度普通会計決算では歳入のうち市税、地方交付税、譲与税交付金など主要財源の割合は51・５パーセントで、同規模自治体の53・８パーセントと比べて低く、脆弱そのもの。「財政力指数」は0・475で同規模自治体の0・801を下回っている。本来なら、衰退する目立った産業のないパッとしない街なのだが、なんとかやれているのは観光業が栄えているからにほかならない。

恐るべきは、2020年からのコロナ禍でホテルが多すぎるという懸念がありつつも、いまだにイケイケの調子で進んでいることである。なにしろ、コロナ禍で外国人観光客が減ったものの国内旅行の需要は継続しているのだ。そして、2030年に予定されている北海道新幹線の札幌延伸で観光客がさらに増えるというのが、函館で描かれている未来図。コロナ禍の観光客減少によって競争は激化しているが、ここを持ち堪えれば、また盛り返すという予想で函館は動いているのである。

道南の新幹線沿線地域が思ったほど需要が伸びずに悩んでいるのに比べて、とことんヤル気なのが函館なのである。もはや観光によってのみ街が維持されているような気配すらある函館。ホテルの競争が激化したほうがサービスも向上するので、観光客には嬉しい限りなのだが、果たして観光依存の過ぎる地域の経済はどうなるのだろう。

棒二森屋を始め、古くからの商業施設がほとんどなくなってしまった函館。函館駅周辺は市民のためというよりも、ほぼ観光向けに

ホテルだけはにょきにょきと建ち続ける函館。供給過多の心配と従業員不足というふたつのリスクは無視されているようにもみえる

今のところはてんでダメな北海道新幹線はどうなのよ

早くも息切れ…… 東京からは遠すぎる

今回の取材にあたっては取材班が分担して各方面に散った。まず会議で話題になったのは、どうやって北海道に上陸するかである。フェリーで苫小牧という手もあるが、東京から最寄りのフェリー発着地である茨城県の大洗は遠い。となると飛行機である。各々どの空港に降りたって道内各地に散っていくかが会議の話題となった。最初から、新幹線を使って北海道へ向かうことは誰も考えなかった。だって、遠いのだ。それも中途半端に遠い。始発新幹線は朝6時32分に東京駅を出発して10時32分に新函館北斗駅に到着する。同じ時間に羽田から出発したらとっくに新千歳空港には到着している。同じ時間に東京駅発の高速バスで成田空港に向かい、新千歳空港まで飛んでも所要時間は新幹線と同じくらい。それでいて運賃は安い。正直、新幹線に何時間も揺られるなら２万円程度で飛行機に乗ったほうがいい。新幹線より、ちょっと運賃が高くなっても夜行列車があったころはよかった。

実際、街おこしにと盛り上がる一方で、北海道新幹線の状況は最初から酷かった。２０１６年度の１日平均乗車人員は６２００人、平均乗車率は32パーセントに留まった。その後、さらに乗客数は減少。最新の２０２０年度のデータはコロナ禍もあってか１日平均乗車人員が１５００人、平均乗車率が８パーセントにまでなっている。完全に潰れかけのローカル線の勢いである。青函トンネルが開通したころは、まだ夢があった。構想が具体化し工事が着工したのは１９６１年。１９８５年の全通を経て１９８８年に海峡線が開通した。筆者は岡山生まれなので、ちょうど瀬戸大橋の完成と共に日本が一体化していくことのワクワク感をよく覚えている。でも、北海道新幹線にはそんなワクワク感がまったくない。必死に盛り上げようとしても「新幹線が通ったところで企業は進出しないし地元の経済は好転しない」とみんな気付いているのだ。

こうした厳しい状況を改善するため、2021年3月からは佐川急便との共同事業で、新函館北斗駅から新青森駅までの荷物の運送を始めている。新幹線による貨物輸送はJR東日本でも検討しており、本格化すれば新たな収益元となるかもしれない。ただ、やっぱり旅客需要が伸びなくては沿線への経済効果は変わらない。いっそのこと、スピードを落として深夜発の寝台新幹線を導入したほうがいいんじゃなかろうか。寝台新幹線はかつて山陽新幹線の博多延伸の際に検討されたことがある。長距離を走る中国ではすでに営業運転しているし、まったく夢物語というわけではない。

観光都市・函館も効果は一瞬だけだった

北海道新幹線でもっとも利益を上げたのは間違いなく函館である。2021年時点ではコロナ禍で観光需要が減少したとはいえ、観光都市としては強い。でも、それ以外はダメダメである。新幹線の経済効果を目論んで函館市では2015年に函館アリーナを建設、2016年は大規模なイベントが開催される機会が増え盛況だったものの、翌年からは早くも下降に転じた。地元民ですら内地へ移動するとすれば、まず飛行機を選択する中で新幹線の利用を促進して利益をあげようというのが、どだい無理な話だったのだ。

特に、速攻で効果なしと判明したのが津軽海峡を挟んだ青函の交流だ。函館、青森県の青森、弘前、八戸では２０１３年から首都圏で観光ＰＲなどを行うために青函圏観光都市会議を結成していたが、２０１９年に共同で事業を進めるのは困難であるとして解散。自治体関係者が結成した青函圏・みなみ北海道連絡会議は２０１６年だけで消滅という体たらく。もはや青函で盛り上がろうという雰囲気などない。その悲惨さを示したのは、２０２１年3月26日に新函館北斗駅で開かれた、ずーしーほっきー（北斗市の公式キャラ）が乗客を出迎える5周年イベント。いくらコロナ禍とはいえ集まったのは40人だけであった。

こうした低迷する中で見えてくるのは、北海道新幹線の効果を狙った各自治体が、それぞれ利益を得なくてはと足の引っ張り合いを繰り広げていることに尽きる。青函両岸の足並みの乱れはもちろんだが、道南の各自治体はいわば完全に潰し合いである。5周年記念で函館と北斗が共同でイベントを行わなかったのは、その対立構造を如実にあらわしている。

この潰し合いは露骨で、新函館北斗駅内にある北斗市観光案内所に立ち寄っても、函館を紹介するパンフレットは、とことん目立たないように配置。おまけに函館市内のことを聞いても案内は冷たい。一方の函館も新幹線客向けに周辺の公共交通を紹介するガイドは２０２０年度で発行を終了した。道南のほかの観光地へ客を逃がさないための露骨な戦略である。

そうした中でも、２０３０年の札幌延伸に向けて工事は進んでいる。小樽をはじめ新幹線の走る沿線ではつとめて明るい未来を表現しようと必死になっているが、使わない新幹線と不便な並行在来線とで地域交通が破壊される可能性があることは、スルーされている。

他にも、木古内駅からのレンタカーで効果が実感できている松前などの例もあるが、松前は潤っても木古内はスルーなどの現実もある。延伸にしても札幌までで夢を見させるのには限界があると思っているのか、今度は旭川延伸という案も浮上している昨今。もう、シベリア鉄道直結で、ヨーロッパまでイケるよ！　くらいじゃないと夢は見られない。

北海道新幹線開業後の各種データ

北海道新幹線の1日あたり利用者数	
2016年	約6200人
2019年	約4500人
2020年	約1500人
札幌延伸事業の進展具合（2021年4月）	
用地取得率	約45％
土木工事着手率	約80％
函館市の観光客入れ込み数	
2016年	560万7000人
2017年	524万7000人
2019年	536万9000人
JR北海道の新幹線赤字額	
開業前見込み（開業後3年間の年平均）	約48億円
2016年	約54億円
2017年	約98億円
2018年	約95億円
2019年	約93億円

※ JR 北海道、函館市公表データより作成

北斗市の『北斗の拳』街おこしは成功なのか？

特に作品との縁もないムリヤリ感

北斗市といえば『北斗の拳』である。だいたい北斗市という地名が、聞いてちょっと恥ずかしい。愛知県知多郡美浜町と南知多町が合併を協議している時、新市名として決まった南セントレア市と同じくらいに恥ずかしい。こっちのほうは「変な名前になるなら合併しないほうがいい」とまで住民に怒られたからというわけではないが、合併が頓挫したため未完に終わった。一方、北斗市は誕生してしまった。「北の空（大地）にさんぜんと光り輝く星（街）（北斗星）。他の市町村の範となると同時に、個性を失わず独自の輝きをもつ街づくり」みたいな意味があるそうだが、元々の自治体である上磯郡上磯町と亀田郡大野町とは縁もゆかりもない名前である。少なくとも頑張りすぎた珍妙な地名として話題になったのは確かだ。

そんな街で行われている『北斗の拳』を用いた街おこし。「へえ、武論尊か原哲夫のどっちかは、このあたりの出身だったのか」と思ったら、違った。武論尊は長野県佐久市の生まれだし、原哲夫は渋谷区である。そんな縁もゆかりもない街に『北斗の拳』がやってきたのは、2014年に行われた署名がきっかけ。市民有志が街おこしの目的でラオウの愛馬・黒王号の等身大模型を設置しようと活動をしたことに始まる。この時、集まった署名は1870筆。うち市内は1300筆程度であった。人口4万5000人を数える北斗市では、かなり小さな活動であったが、実現の可能性はあった。というのも、この計画はすでにイベントで使われている版権元が持っている模型を借りて、公共施設や観光名所に展示して話題にしようという計画だったからである。

どう考えても「北斗」という言葉以外には接点がないが、このコラボは着実に実を結んだ。理由は版権元が乗り気だったことだろう。なにしろ、2010年ごろから『北斗の拳』はリアルタイムの読者に併せてジャギの外伝を制作したり、同人誌みたいなパロディ『北斗の拳　イチゴ味』をノリノリで連載して人気を集めていたからである。こうして、2014年10月には、北斗市の公式キャラクター・ずーしーほっきーと『北斗の拳　イチゴ味』のコラボポスターが、吉祥寺で開かれた北海道物産展で展示され人気を博した。

そして、ついに2016年7月、黒王号は北斗市へとやってきた。この年の北斗市夏まつりで、黒王号の模型が山車行列に交じり練り歩いたのである。この行列では、ラオウのコスプレで参加する人もいたというから、なかなかの歓迎ぶりであった。

これと共に決まったのが、新函館北斗駅にモニュメントが設置されること。こうして2016年3月に、駅にケンシロウの銅像が置かれた。この効果なのか、2016年の北海道新幹線開業後に北斗市はにぎわった。新函館北斗駅のショップは土産物を求める人々でにぎわい、同年3月26日から6日間開催された北斗おもてなし祭には想定の8万人をはるかに上回る15万6000人もの人が訪れた。「北斗」という名前だけが同じというコジつけな街おこしは、確かに北斗市という存在を全国に知らしめる効果があったのだ。

あれ世界は核の炎に包まれたっけ？

そして、フィーバーは去った。開業当初はにぎわった新函館北斗駅とその周辺は寂しい。なにしろ駅前のほとんどは更地である。これは『北斗の拳』をイメージして、核の炎に包まれた後の街を再現しているわけではない。『北斗の拳』で知名度がアップしたにもかかわらず、駅前はまったく閑散としているのである。北斗市では新幹線開業にあわせて駅前の５・３ヘクタールを商業地として整備している。このうち、約32パーセントの１・７ヘクタールは売れ残り、いまだに更地となったままなのだ。市では民間企業や医療機関の誘致を目論んでいたが挫折。その後、高齢者施設や公園整備を行う案もあったのだが、これまた決定はしていない。ただ、２０２０年には駅前にふたつめのホテルである東横イン新函館北斗駅南口が建設され、３つ目のホテルの建設計画も進んでいる。いまだ、駅前は閑散としているしコロナ禍で需要が減少しているにもかかわらず、ホテル建設が進むのは、２０３０年に札幌延伸が完了すれば地価の高騰が予測されているため。先行投資としての意味合いが大きい。

北斗市にとってビジネス面での売りは、札幌と青森のどちらにも1時間以内にたどり着けることと、函館空港まで車で30分圏内であること。北斗市ではこれを地の利として駅前の発展を目論んでいるのだが、むしろどこへいくにも中途半端な立ち位置にしか見えてこない。なにより、一時は盛り上がった『北斗の拳』を用いた街おこしも低調である。作中に登場するあの誰もが知っている名物キャラクターを利用した「種モミじいさんに捧げる玄米」などダジャレみたいなコラボ商品が生まれたりはしている。また2020年に「北斗芯軒」という名前のパスタ屋がオープンして話題になった。しかし、特に街おこしに利用した目立った取り組みは、今は存在していない。事実上、ケンシロウの銅像ができたのをピークに熱気は冷めているのである。

当たり前である。作品のゆかりの地をめぐる「聖地巡礼」は全国で盛んだが、あれは登場人物と同じ空気を味わったりするのが重要。単に銅像を建てて、いつまでも客が来るハズもない。まさに、やらかした街おこしの典型例が北斗市なのである。

JR函館北斗駅に立つケンシロウ。こうして写真で見るとかなりの迫力だが、実際は駅構内に割と地味な感じで設置されている

むしろ北斗の拳関連の「北斗市特産品」コーナーのほうが派手。しかし、一般的な言葉である「北斗」繋がりだけでここまでやるか

新幹線に揺れる長万部の本音

並行在来線を待つ暗い未来

最後に長万部駅に降りたのは10年以上前だったか。函館に向かう列車の終点だったので仕方なく降り、次の列車を待った。すでに日は暮れていて雪の積もる駅には自分ひとり。駅の周りには店の灯りも見えなかった。

元来、乗り換えでもなければ長万部駅に用がある人はそんなに多くはない。あるとすれば、全国でも屈指の駅弁・かなやのかにめしを買うことくらいだろうか。でも、あのかにめしにしたって長万部駅にまでわざわざ買いに来る人は少なかったはず。なにせ、年中全国のどこかのデパートで必ず開催されている北海道物産展でマルセイバターサンドと並ぶ定番商品なんだから。

函館本線と室蘭本線の分岐点であり、交通の要衝ではある長万部駅だが、これまで長らく分岐点として以外の価値はなかった。そんな駅にも、転機が訪れようとしている。新幹線の駅ができるというのだ。

新幹線駅にかける地元の期待は強い。長万部町では2006年に早くも駅周辺整備構想を策定。続いて2016年に「新幹線を核としたまちづくり実行計画」、2017年には「新幹線駅周辺整備計画」をまとめている。現在予定されている新たな長万部駅は高架駅となる。在来線との乗り換えに加えて、各駅停車と速達の新幹線に対応するため2面4線のホームが建設される予定だ。こんな巨大な駅が建設されるのも、長万部駅が日本海側も含んだ地域の中心駅として構想されているからである。新幹線建設を機に長万部駅は単なる分岐駅から周辺市町村を含んだハブとなることを目論んでいるのである。

しかし、そんな壮大な計画の一方で、新幹線が通る沿線には大きな問題が起こっている。並行在来線、すなわち現在の函館本線の函館・小樽間をどうするかの問題である。『北海道新聞』によれば、同紙が2021年3月に実施した並行在来線に関する自治体アンケートでは、7市町のうち5市町が「現時点で判断できない」と回答している。新幹線の札幌延伸は２０３０年と大きく宣伝されている一方で、並行在来線をどうするかがまったく放置されているのである。現状、函館・長万部間は貨物輸送の大動脈で一日に40本あまりの貨物列車が運行されており、ＪＲ貨物からは線路使用料と貨物調整金が支払われる。それでも、２０１８年度時点で函館・長万部間の旅客は約57億円の赤字になっている。加えて、長万部・小樽間は貨物輸送が行われていないのでＪＲ貨物からの支払いはない。つまり、現在の函館本線を維持しようとすれば沿線自治体は相応の負担を強いられることになる。新幹線による恩恵は欲しいが、１円だって余分に払いたくないというのが沿線自治体の本音なのである。前述の『北海道新聞』によれば長万部町は「旅客は一部廃止、貨物存続が現実的」という態度。実に正直である。

２０２１年４月道が発表した試算では函館・長万部間を第三セクターで全線維持した場合、30年後に約９４４億円の累積赤字が発生するとしている。まず初年度にはＪＲから土地や車両を譲渡してもらうのに３１７億３０００万円。その後、毎年18億８０００万円ずつ赤字が累積されていくのである。道の試算では、全線バス転換した場合の予測も行っているが、それでも累積赤字は30年後に130億4000万円に達するとしている。もうなにをやっても赤字なのである。いや、現状すでに赤字なのにJR北海道が国鉄からの意地でなんとか鉄路を存続させてきたのが奇跡なのだ。こんな状況で新幹線が開業したら、長万部駅が地域のハブになって……と夢を見ていることが恐ろしい。

夢だけで走る長万部町

そんな長万部町では、夢だけは勝手に肥大化している。2025年には現在の駅舎を取り壊して自由通路を建設し、新幹線開業までは仮駅舎で営業することまで具体化しつつある。町では自由通路を建設することで現在は線路に分断されている東西の交通をつなぐことができるとしているが、駅周辺に東西の早急な移動を必要とする人がいるとは思えない。もう、新幹線フィーバーに酔って、今のウチに儲けておこうという意思だけが見えてくる。

まず、現時点でも長万部に新幹線駅ができたとして地域の繁栄は考えにくい。

なにしろ、在来線が大幅な赤字を抱えるほどに人口は減少しているのである。自家用車やバスに客を取られているだけではない、人口の減少が赤字を拡大しているのだ。周辺自治体も同様に人口が減少している中で、閑散とした新幹線駅となるのは目に見えている。そんな利用者もたいていは車で駅の近くまで来て、新幹線に乗り換えて札幌や函館方面へ行くだろう。ほかの地方の新幹線駅でもよく見られている現象だが、だいたいビジネスホテルができて、あとは周囲の地主が経営する駐車場だけが儲かっているという状況が生まれるのである。なにせ、観光都市の函館ですら新幹線の恩恵はわずかにしか受けていないのだ。かにめし以外のインパクトをつくらなければ、長万部町に来る人はいないだろう。

長万部町は平成の大合併の際には、周囲の自治体と合併を検討したが破綻に終わった。最後まで協議された黒松内町との合併案は町庁舎の位置で揉めて崩壊した。函館市と北斗市の場合もそうだが、道南の各自治体はあまりにも自らの地域だけが利益を得ようと走り過ぎである。この地域ではまだ戦国時代が続いているのか。もう暗い未来しかない長万部を止める人はいないのだろうか。

こぢんまりとした現在の長万部駅。函館本線、室蘭本線の分岐駅であり、重要なのだが、利用人数は１日300人程度と少なめ

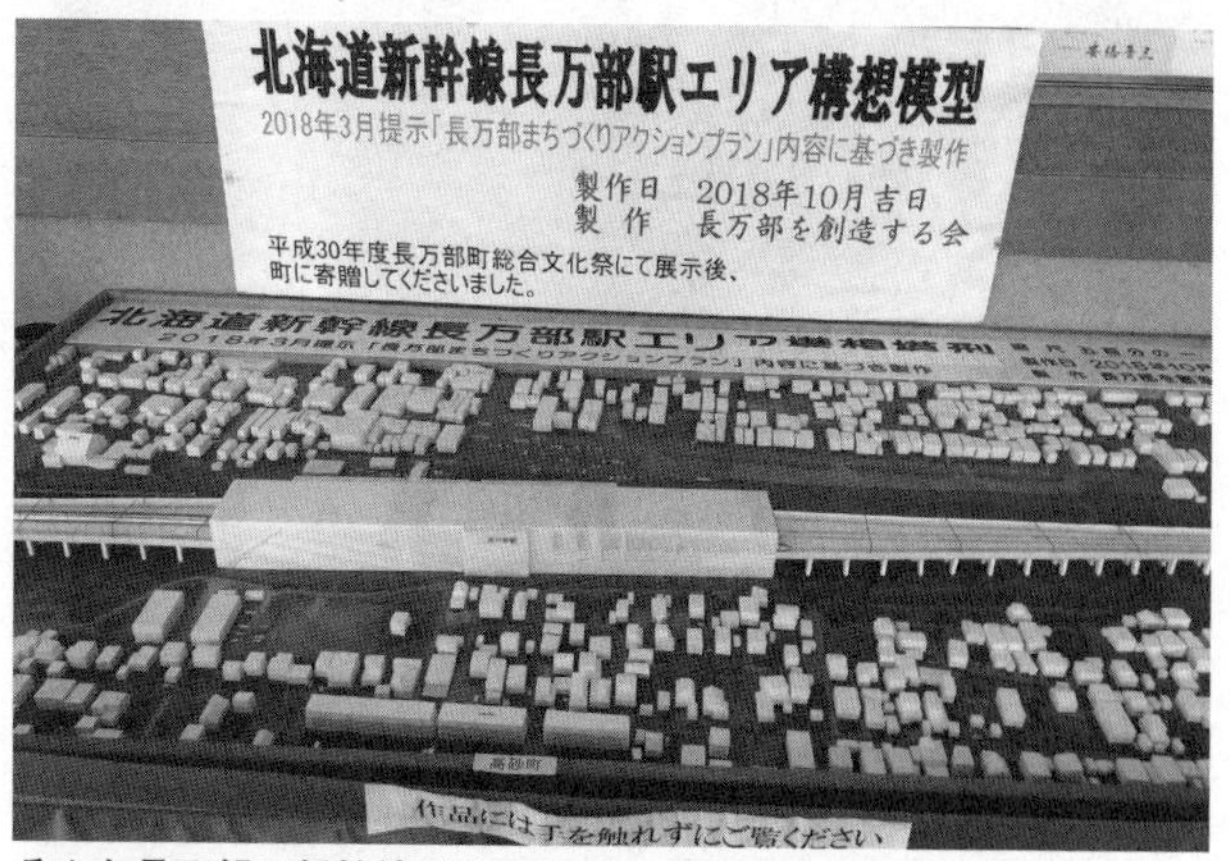

そんな長万部に新幹線が来るわけで、そりゃあ浮かれもする。現在地に新駅ができれば、室蘭方面にも経済効果は波及するかも

北海道ナンバーワンのはずだった江差

乗る人もおらず廃止された江差線

内地でも江差はよく知られる地名だと思う。しかし、実際に江差を訪れる者は少ない。なにせ道南の観光で函館のついでに江差に足を延ばすのは、結構ハードルが高い。函館と江差間のバスは1日5往復のみである。松前と一緒に観光しようしても、バスはやっぱり少ない。とても観光には不便なのだが、実際普段の需要がそれくらいしかないのである。

この江差へと走っていた江差線が廃止されたのは2014年5月のこと。JR北海道が新幹線の開通に先立ち江差線の経営分離方針を明らかにしたのは1996年4月のことだった。この時点ではバス転換どころか経営分離にも反対する意見はあったが、おおよそは、いよいよ来るべき時が来たと見ていた。なにしろ、この時点で江差・木古内間の利用者は１日平均２００人程度に過ぎなかった。いわゆる並行在来線で、現在、道南いさりび鉄道となっている木古内・五稜郭間は、津軽海峡線と接続する大動脈だが、それ以外の部分は過疎地域を走るローカル線というのが、まぎれもない事実だった。

赤字とはいえ、通学や通院に使う人もいる生活路線である。しかし、この存続をめぐっては、これまた各自利益だけを得たいとする道南の自治体の足並みの乱れが見られた。乗客数の多い木古内・五稜郭間ですらも第三セクターで鉄路を維持しても赤字、バス転換しても赤字になることが確実だったのだ。結局、並行在来線区間は道が大きな負担を負うことで維持されることとなった。

しかし、木古内・江差間はもはや維持することは困難だった。ＪＲ北海道は２０１３年９月に２０１４年春での廃止を表明。この時点で江差線の運行本数は１日にワンマン気動車が６往復するのみ。利用者はとことん少なかった。２０１１年度時点でＪＲ北海道は輸送密度が採算を見込める８０００人に満たない路線を87パーセント抱えていたが、木古内・江差間はそれよりもはるかに低い41人となっていた。走らせるたびに赤字が増す。国鉄が民営化された時点では赤字とはいえ253人だったから、惨憺たる状態だった。

こうした状況なので、沿線地域からの反発はまったくなかった。もう乗っていない鉄道である。あとは、廃止後のバス転換がどうなるのか。そのバスの自治体の負担はどうなるのかが焦点だった。むしろ、鉄道よりもバスのほうが函館までの所要時間が短くなると期待する声すらあったのだ。

地域の中心地なのに過疎地

誰も使わない鉄道も廃止され、観光のアクセスも困難な江差町。しかし、ここは檜山振興局、かつての支庁の所在地である。いわば地域の中心だ。振興局があるにもかかわらず、過疎地域の指定を受けているのだからいかに衰退している地域かがよくわかる。なにせ、道内の振興局所在地では唯一札幌市へ直通する交通手段がないのだ。あとの頁で触れる留萌も経営危機がありながら、札幌とは高速バスでつながっている。しかし、江差はそれすらもない。

この江差というところは、道内のあちこちに見られる、なにか資源があったおかげで、瞬間的に栄えて沈没した土地ではない。幕末の歴史好きならば榎本武揚率いる幕府海軍の主力・開陽丸が沈没したところとして記憶している。元々江差は阿倍比羅夫が上陸した地ともされ、北海道最古の神社と伝わる姥神大神宮の鎮座する土地である。江差は江戸時代には鰊漁と北前船による交易で大いに栄えた。江戸時代の江差のにぎわいは凄まじく、貧家はなく蔵が建ち並び、交易船の集まる旧暦5月は「江差の五月は江戸にもない」ともいわれたほどであった。そんな繁栄も、明治時代を迎え交易ルートが大型の蒸気船や鉄道を用いるものへと変化したことで激変した。鰊漁は昭和まで続いたが、もはや江差は繁栄の地ではなくなっていた。いわば、江戸時代までの繁栄の名残で、なんとか地域が続いているというのが現在の江差なのだ。

江差線の廃止によって衰退の極みを見せつけた江差だが、近年はそれを逆手にとって街おこしを模索している。衰退一辺倒だったために多く残っている古い家屋や街並みを、そのまま観光資源に使おうとしているのである。たとえば、地元民による観光ガイド「百人の語り部」の試みも、そのひとつ。要は、観光ガイドを地元民がより地元目線でやってくれるというもの。確かに、江差の史跡には見どころがあり、その説明を地元目線で聞くことのできる価値はある。

もう、手を打たないと江差なんて観光客も来ないのだ。なにしろ、江差町の資料によれば、1990年に約80万人だった観光客は2016年には34万6000人と激減している。観光客のうち宿泊する人の割合は1989〜1994年には20パーセント超だったのが2016年には6パーセントとなっている。つまり、もう不便だし見るべきところなどない街だと知られてしまっているのだ。当たり前である。開陽丸のほかに、特に幕末好き歴史ファンが喜びそうなものはない。かつて、北前船と鰊で繁栄した街並みも道内にはあちこちにある。もはや万策尽きたのか、江差町が打ち出しているのが「北の江の島構想」。これは町内のかもめ島周辺を整備し、神奈川県の江ノ島のような観光スポットとして流行らせようというもの。いや、江ノ島が観光地としてにぎわっているのは東京からも電車で1時間ちょっとで出かけることができ、鎌倉という大観光地のそばにあるからなのだが。もはや貧すれば鈍するに陥っているのか、この町は。

復元された開陽丸は実際にかなり立派。姥神大神宮もすぐ近くだし、いにしえ街道も見られる。観光地としてまとまり自体はかなり良好

江差を大いに潤した鰊漁の痕跡は各地に残る。今となってはにしんそばを食べるくらいしか追憶の方法はないのだろうが

観光地としては優れているがそれ以外が厳しい松前

観光地として成熟する松前

江差と松前の大きな違いは、松前は観光地として熟成されている点に尽きる。道南を巡る時に函館から足を伸ばして江差にいく人はいないけれども、松前にいく人はいる。それが大きな違いだ。どちらも日本海に面した土地だが、松前のほうが観光地としては断然優れている。松前と江差をつなぐバスの本数が少ないのも、松前には用がある人がいても江差にはないということ。無茶をいうなという人もいるかもしれないが、松前だって函館からのバスの本数は少ない。それでいて、松前はちゃんと観光地になっているのだ。

かつては和人の支配拠点であった松前も今は、かもめとイカの匂いがする北海道の田舎である。この町がメジャーな観光地になったのはＮＨＫ連続テレビ小説『北の家族』がヒットした１９７３年だったと思う。函館に次ぐ舞台が、ここ松前だったのだ。江戸時代から多くの文化が入り交じった歴史的背景を持つ松前は北海道でも独特の土地。気候は北海道の中では穏やかだし、人の気質も函館以上に内地に近いと評される土地である。そして、田舎だけれど単なる北海道にありがちな漁師町ではない。元は城下町だったけれども、萩あたりのように歴史だけの街でもない。その独特の雰囲気が人気を呼んで観光地としての地位を築いたようだ。とりわけ観光客が集まるのは春。桜見本園は４０００本以上の桜の木にそれぞれ夕暮だとか楊貴妃だとか名前をつける変わった桜の名所。それもまた、独特の雰囲気だった。観光地で売り出した１９７０年代には繁華街のキャバレーも随分と栄えて、店の子に「函館まで遊びに行こうよ」といえば、すぐに連れ出せたものだった。

そんな観光で利益を上げるエリアだからコロナ禍で悲惨になったかと思えば、そうともいいきれない。２０２１年に実施された第73回松前さくらまつりは約３万７０００人が訪れている。２０１９年が17万８６００人だったから大幅な減少だが、観光業が壊滅している中でこれだけの人が訪れるのはすごい。それも、感染拡大地域からの来訪自粛を呼びかけてのこの結果である。訪れた人のうち9割は道内。それも渡島・檜山管内から来た地元周辺の客が大半を占めた。要は観光地としてのポテンシャルが随分と高いのだ。ちなみに松前はフユザクラも名物だから、春の一時期だけ客が来る桜の名所以上に儲けが期待できる。

それでも実情は厳しい松前

観光地としては目立たないが、どうしようもない地域に比べて優位に立っている松前。それでも実情は厳しい。人口減は続いており、2020年の国勢調査では道内の人口減第7位にランクインしてしまった。松前から人が出ていくのは当然である。観光を除いて主な産業は漁業である。その漁業も衰退の一途で、1999年には25軒あったスルメ加工場は9軒まで減少。働き口が消滅しているのだから街に留まる人などいるはずもない。松前高の卒業生もほぼ全員が進学、就職で町外に出る。道南でも八雲町のように産業はあるが人口減が続いている地域では、外国人実習生の労働を強化することで日本人の人口減少分を補っている。でも、そもそも産業のない松前では、外国人を連れてきて働かせることすらできないのだ。

いわば、松前は風光明媚な老人の街である。２０２０年６月には北海道で４例目となる高齢化率50パーセント超えの自治体となった。この時点で松前町の人口６８６４人のうち65歳以上は３４２９人である。もう街には年寄りしかいない。これまで道内で高齢化率が50パーセントを超えているのは、夕張市・上砂川町・歌志内市といずれも産炭地だったところばかり。この人口減と高齢化を反映して、町議会では議員定数の削減も議論されている。そんな松前町議会の議員報酬は現状で月額18万円である。完全に名誉職の域だろう。

最後の頼みは洋上風力発電

観光では、道南のほかの町より優れているとはいえ、函館には敵うハズもない松前。そもそも、もうすべてが滅びの一途なのだから街全体が遺跡になるか、なにか新たな産業を興すしかない。そこで2020年から松前町が目を付けているのが洋上風力発電である。これは、街の沖合に洋上風力発電を誘致して国が優先的に事業を進める「促進地域」にしてもらおうというもの。促進地域に指定されるまでの期間を含めて完成まで10年ほどかかるので、その間の経済効果や税収増を期待しているのである。この洋上風力発電、10年くらいなんらかの形で地元にカネが落ちるという魅力もあって、道内各地で手を挙げる自治体が増加している。この松前町の動きを受けてすでに町内で風力発電を行っている東急不動産が、2021年6月に海底調査を始めている。

洋上風力発電は2019年に政府が促進のための新法を制定し、全国各地で企業が有望な場所を押さえようと動いている。現状、デンマークやイギリスなどヨーロッパ各地では実用化されている。ただ、洋上風力発電は風車を建てておしまいというわけではない。電力需要が限られる北海道で大規模な発電を行っても、需要は満たせない。発生した電気をどう消費するのか。余剰が発生した場合に内地に送る送電線網をどのように整備するのかなど課題も残されている。ブームの洋上風力発電に飛びついたはいいけれど、道筋は決して明るくない。

松前城を桜の城にしたのは大正解だった。現在では松前藩屋敷という江戸時代の町並みを再現したテーマパークまでつくられている

今のところ影も形もない洋上発電施設。写真は松前城の高台からの景色。完成の暁にはここから巨大風車を眺めることができるのか

北海道コラム ❹

得体の知れない函館ラ・サール

なんだかよくわからないが名門校として全国に知られている函館ラ・サール中学校・高等学校。偏差値だけみると南北西の札幌高校には劣るが、道内ではかなりのエリート校である。なにせ、一貫して東大をはじめ有名大学進学者を数多く出しているからである。元々カトリックの修道会に始まった学校ゆえにか、生活は独特。「50人大部屋寮」みたいな独特の方針が取られているために、函館では私服で歩いていても函館ラサールの生徒だとわかるほどだという。要は進学校兼修道院みたいなところなんだな、ここは。

多数の生徒が暮らす寮はほぼ修道院である。なにしろ、食事や入浴などあらゆる時間は管理されている。毎日3時間は自習時間になっていて私語厳禁で強制的に勉強させられる。ほかにやることもないので、勉強をするしかないところに追い込まれるのである。厳しいとか志が高いというわけではなく生活の所

作のすべてを時間と形で区切って身体に刻み込んでいく系の修行である。日本では禅宗の寺で多く用いられている系統のシステムだ。これなら、ある程度以上の成績の生徒を揃えておけば進学実績が上がるのは当然だ。寮ではスマホ・ゲームが禁止でも学校のほうは服装が自由。これも寮で鍛える一方のガス抜きという感じだろうか。

各界に卒業生を送り込んでいる函館ラサールだが、まず卒業生として忘れてはいけないのは漫画家ののむらしんぼである。『コロコロコミック』に連載された『つるピカハゲ丸』で大ヒットした人物である。あのマンガの内容からは信じがたいが、のむらは卒業後立教大学の仏文科に進んでいる。『つるピカハゲ丸』

は大ヒットしたが、その後の転落もすごい。月収数百万円が一気に借金数千万円に。妻には離婚されるしの悲惨の極み。それでも、その悲惨な様子をギャグにして作品に落とし込めるのだから、とてつもない才能の持ち主であることは間違いない。

歌手のあがた森魚は留萌の生まれで、函館ラサールを卒業した後は明治大学に進んでいる。あがたといえば、まず思い浮かぶのが『赤色エレジー』である。これを出したころのあがたの風貌は東映の映画『女番長ゲリラ』の中で観ることができる。どうみても、ヒッピーというよりは得体の知れないなにかである。とても、カトリック系の名門校出身者とは思えない。ちなみに、劇中で『赤色エレジー』を歌う時、なぜかギターを弾いているのにピアノの音が流れる製作サイドのテキトーっぷりが面白い映画である。

このように、得体の知れない人材を生み出すことには事欠かない函館ラサール。函館市民も地域に誇るエリート校とは思っていない理由はこれだな。むしろ函館で人にたずねると「あそこは進学校を自称しているだけですよ」という人もいるほど。まあ、好き嫌いを選ぶ学校なのは間違いない。

第５章
炭鉱後の身の振り方を見つけられない道北

大もうけの時代が去った稚内に大学は維持できるのか

人口の3割が漁業に支えられていた時代

稚内は漁業、サカナの街である。もっとも、現在の稚内の漁業は衰退産業であるが、産業構造は2010年国勢調査の時点で第1次産業が8・4パーセント、第2次産業が21・9パーセント、第3次産業が69・8パーセントとなっている。いまだ漁業に従事している人の数は多いのだが、これでも過去に比べて、とてつもなく減っている。なにしろ1960年時点では第1次産業は全体の約3割を占めていた。当時の人口4万7000人のうち、1万1000人ほどは漁業に依存する生活を送っていたのである。いうまでもなく、漁業の主体は鰊だった。利尻や礼文の島の海岸へ産卵のために押し寄せてくる大群で、海の水が牛乳のように見えるほどだった。ところが、それも１９６０年ごろには、ガクンと漁獲量が減っていた。

鰊がダメということになって、漁民たちはわずかな資本を出して沖合に漁に出るようになった。先立つ金は必要だったが、この投資は存外にうまくいった。鰊に替わって、今度は鱈やホッケ、カニ、エビなどが大量に水揚げされるようになったのである。１９７０年代はあまりに獲れすぎるので、魚市場では１日１５００トンで水揚げを打ち切るほどだった。漁船の乗組員は、１日１箱15キロを、おかず用として持ち出すことが許されていた。それが軒先に並べられるものだから、稚内の街はあちこちがサカナの臭いにあふれてむせかえるほどだった。この時代の漁師はとにかく儲かった。月給は50万円でも安い方。１００万円を超える者もざらにいた。１９７０年大卒初任給は3万９９００円であるから、漁師がいかに儲かる仕事であったかがよくわかる。

そんな盛況を支えていた漁場はソ連との国境の海であった。元々、鰊漁で栄えた稚内の漁民は、決して遠出はしなかった。そこに鰊が不漁になったころ、千葉県の銚子あたりの船がはるばるやってきて、大当たりしたという話を聞き、急に冒険のような漁が盛んになった。当時、怖いのはソ連の監視船よりも天候だったという。なにしろ川崎船に毛が生えたような船で冬のオホーツク海に繰り出すのである。どだい遠洋航海などできる船ではないから、海上保安庁に救助されるケースも絶えなかった。中には、エンジンが故障したものの、せっかく獲れた魚を手放すことはできないと巡視船に曳航されて戻ってくる者もいたという。そこから、十数年で外洋に出て利益を上げることができるようになったのだから、稚内の漁民はたくましい。しかし、そんな無茶な漁業も1977年の二百海里規制と共に大打撃を受けることになった。

マフィアが跋扈する北の無法都市

そんな稚内の最後の盛況は1990年代にやってきた。ソ連が崩壊して国境の監視の目もおざなりになった時代、カニを満載したロシア船が次々と稚内にやってきたのだ。その勢いはすさまじく、活況の最中だった1995年には高級品の松葉ガニが前年の半値、35000～40000円で市場に出回っていると話題になった。その値崩れを引き起こしたのが北洋物、すなわち間宮海峡あたりでロシア人が水揚げしたものだった。

この時期にはコルサコフやネベリスクあたりの漁船が週に2回は入港するのが当たり前だった。水揚げされたカニの価格は400～600円。それが通関料や諸経費を上乗せされて、前述の値段になるわけだが、それにしても安い。カニだけでなく貿易も増加して、稚内は小樽や釧路をしのぐ貿易都市になった。船員たちはカニを売り、電化製品や日用品を買って帰国する。街にはロシア人相手の店もでき、ロシアの新聞に広告を出す日本人業者も相次いだ。中には漁船に乗って漁師を装って上陸するロシア商人もいた。そんなロシア人がもたらした好景気は国境の街ならではのものだった。

夜の店も気がつけば国際色豊かなホステスで溢れ、新たな暴力機構も生まれる。ロシアや中国、日本人も入り乱れて、それまでは想像もしなかったマフィアの存在する街になった。なにせ持ち込みカニも密漁品は混じっているし、持ち出す車も盗難車が当たり前だった。そんな好景気も2014年の水産物の密漁・密輸出対策に関する日露協定で終わりを迎えた。

文化レベルは高いが大学は無理だった

さて、そんな稚内は、国境の荒れた街と思いきや、地域紙が2紙もある文化レベルも高い地域である。そこに稚内北星学園短期大学が開学したのは1987年。これが2000年に稚内北星学園大学となって市内唯一の大学になった。当初学部は情報メディア学部のみ。当時はもっとも近い映画館まで200キロも離れている街にもかかわらず、映像教育に力を入れようとした。2002年には初めて大学祭にあわせて自主映画祭も開かれた。

しかし、定員割れは止まらず、毎年定員の半分程度しか学生の集まらない状態は続いた。2020年には運営法人が変わり、2022年に育英館大学に名称を変更することが決まった。新方針では京都にサテライトキャンパスを設けて学生確保を目論んでいる。人は確かに集まらないが、図書館が市民に開放されたり、様々な講座が開催され、稚内の文化の拠点ともなっている。市にとって大事な施設でもあり、この大学の未来は稚内の行方とリンクしている。

道の駅も入居して近代的になった稚内駅。映画館もあって嬉しいと思うんだろうけど旅情を求めて北海道に来る人にはとにかく不評だ

大学はあるが近くのバス停から歩いて20分くらい。学生街はなく大学の帰りに集まって騒ぐ場所も皆無。こんな立地で大学は無理よ

羽幌の沿岸バスと妙に明るい街の人々

美人のいる沿岸バス

羽幌の取材は、稚内からはバスで向かうことにした。沿岸バスのサイトをみると稚内を出発する列車との接続時間が書いてあった。羽幌には寄るが、その日のうちに留萌にいきたかったからバスを1本でも乗り過ごすと大幅に予定は狂う。これまでの経験で公式サイトに掲載されている情報でも絶対的な信用をおけないと思っているから、念のため確認しておくことにした。だが、稚内駅のバスターミナルで窓口に座っていた女性にたずねると、怪訝な顔で「そんなのありません」というのだ。

こちらが次になにかをいう間もなく、窓口の扉をピシャリと閉められた。ああ、よく見るとこのバスターミナルは宗谷バスのバスターミナル。同じ道北を走っていてもエリアが違う会社のことなど知らないということか。オレが悪かったよ……。でも、筆者はとてつもなく悲しくなった。稚内の人はなにかをたずねようと話しかけてもたいてい「はあ」とか「うーん」としか返事をくれなかった。その挙げ句がこのザマである。

いっそのこのまま海を越えてサハリンへでも旅しようかと思った。しかし、以前のように楽に行ける船はない。なにより、東京には筆者の原稿を待っている人たちがいるではないか。ままならない悲しい思いを抱えて、早朝のサロベツで豊富駅へ。今は無人の豊富駅。人もあまりやってこない駅前で1時間ほど待って、ようやく留萌市民病院行きの沿岸バスは来た。

豊富駅から留萌市立病院まで向かう豊富留萌線は、全長164・5キロ。停留所は169もある。路線バスの最長は奈良県の大和八木駅前と和歌山県の新宮駅前をつなぐ八木新宮線だが、停留所の数はこっちのほうが多い。この路線は1987年に廃止された留萌と幌延を結んでいた羽幌線のルートを走る。廃止から長い年月が過ぎた今でも時刻表などには羽幌線廃止代替バスと記されている。旅客の減少から廃止に至った羽幌線。その代替バスも乗る人は少ない。羽幌までの間に乗ってきた乗客は、いつもバスを利用していると思しき通勤客がふたりだけ。運転手は一応は停留所に目をやるが、バスは次々と停留所を通り過ぎていく。多くの停留所はほぼ無人の荒野の中にある。かつては、その停留所にもわずかながら利用者がいたのかも知れない。

そんな状況だから、バス路線維持は厳しい。豊富駅からサロベツの原野にぽつんと存在する稚咲内集落へ向かう路線は、2021年3月を持って廃止された。この豊富羽幌線も自治体の支援で必要なインフラとしてかろうじて維持されているに過ぎない。実際、かなり厳しい状況で路線は維持されているのだろう。そう思ったのは、羽幌の本社バスターミナル。かつての羽幌駅の跡地にある羽幌ターミナルは車両基地にもなっているためか、小さいながらもターミナルの体裁を整えている。対して沿岸バスの本社の建物を兼ねる本社バスターミナルはといえば、ほとんど文化財の域である。バスが停車するところには小さな踏み台が置かれているだけ。窓口の窓枠は木製である。

ただ苦しい中で、自治体からの援助に慢心せず収益の強化も行われている。

停留所にちなんだ多数の萌えキャラを用いた「絶対領域・萌えっ子フリーきっぷ」である。全国どこでも、萌えキャラを用いた街おこしが行われている中で、こんな都会から遠く離れた場所でも効果はあるのだろうかと思いつつ、なにかグッズを買っていこうと、窓口におそるおそる声をかけた。「ここでは、缶バッチがちょっとあるだけなんですよ」という。

ハッとするような美人が申し訳なさそうに、缶バッチの入ったケースを持ってきてくれた。聞けば、グッズの販売は通販がメイン。一方で、きっぷを買ってバスの旅を楽しみに来る人も増えている……そんなことを彼女は丁寧に教えてくれた。

街は明るいがバスの経営は一段と厳しい

羽幌はだいたいが明るかった。街をぶらつきたどりついたフェリーターミナルで空腹を覚えて食堂に入った。「港の母ちゃん食堂」。食券制で刺身定食は1500円。まったく期待してなかった。どうせ、海沿いの観光施設にありがちな薄く切った刺身がちょこんと盛られたのがくるのだろうと思っていた。ところが、盛られていたのは膨大な数の甘エビとホタテ。そして副菜も盛りだくさん。おまけに「大盛りにしますか」と聞いてくるので「はい」と答えたごはんは、ゆうに1合はある、昔話のようサイズで、看板に偽りはなかった。

かつては炭鉱で栄えた羽幌だが、もはや夏の海水浴客を除けば産業のようなものはない。炭鉱には膨大な廃墟群が残るというが、市街地からは数十キロも離れていて、気軽な観光地にはならない。いわば水産と海鳥を除けば産業のない街である。それでも、道北の中で街の人々が明るいのはなぜだろう。

そんな地域で、いま新たな問題といえば沿岸バスの更なる経営危機だろうか。本来なら経営の基盤であるはずの留萌と札幌を繋ぐ特急バス・ましけ号は2021年になり、平均利用者が5人という危機的状況に陥ってる。元々の人口減に加えてコロナ禍が打撃となったのだ。

道路は整備され、物流も人の流れも便利になった。しかし、そのぶん人口も地域の外へと流出していく。そんな状況の中でも、まだ人々の表情が明るいのは、本当に謎だが、希望でもある。

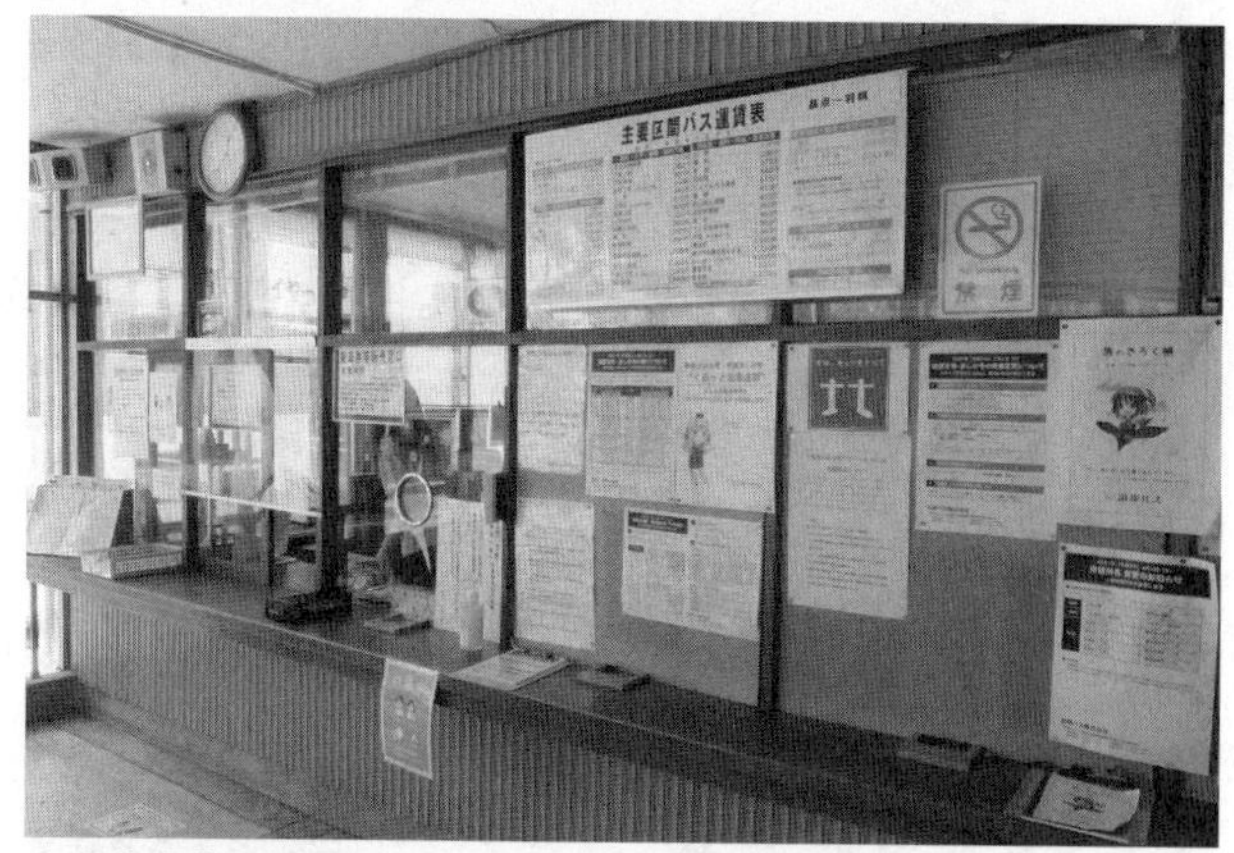

こんな昭和な風景がいったいどこにあるのだろうか。しかも現役で使っているためかけっこう綺麗である。もう文化財にしていいかも

街には人の数も少ないが港にいけばにぎわいがある。炭鉱が閉山した地域に比べると人の顔が明るいのが街の特徴である

本当に栄えていた留萌の思い出

鰊の後も栄えた夢多き街

この本を書くにあたって、様々な資料に目を通したが、留萌関連の書籍はとにかく多い。『日刊留萌新聞』を発行している留萌新聞社の書籍をはじめ、とても鉄道の存続が大問題になっているような地域とは思えない文化力である。参考にした資料の中に『語り継がれる郷土 留萌地方'85』（留萌新聞社）というのがあった。この本はいわば留萌地域の名士録である。当時の議員や役場の人々、それに地域の企業の社長が、ひとり1頁で自分史や郷土への思いを語っている。企業の数だけでもなんと多いことか。それに1985年という制作時期のためか、様々な地域から集まってきた人々によって、新たな郷土としての留萌が生まれたことがわかる。たとえば、栄町2丁目の弘洋電機の社長は、深川の農家に生まれ、戦前に留萌にやってきて、最初は田中布団店の看板を掲げて布団の販売や綿の打ち替えをやっていた。それが、時代の流れと共に家電製品を扱うようになって電器商に衣替えした。本の中では、家電製品はもう頭打ちと考えてビデオテープのレンタルを始めたと書いてある。

留萌市指定の水道指定工事業者第1号として紹介されている小林設備工業も、戦前に一家をあげて移住して鉄工場を始めた。工場とはいうものの、最初は文字通り鍛冶屋で荷馬車の修理をやていた。それが、戦後転じて配管工事を始めて指定業者の第1号になった。歴史の古い企業だと、大野水産は留萌の水産加工の草分けである。初代の大野岩松が天秤棒をかついで商売を始め、大正時代には東京方面に魚をおくるようになり、チクワやすり身など水産加工を手がけるようになって財を築いた。

留萌も北海道の漁村の例に漏れず、最初に栄えたのは鰊漁。それが振るわなくなってから新たな商売がやってきたという流れだ。だから、水産加工以外は戦後になってから、パイオニア精神で商売を始めて成功した人が多い。留萌がほかよりも幸運だったのは、鰊の水揚げが減ったとはいえ、商売としては成り立つ程度の減少だったこと。それに、今も有名なカズノコなど水産加工品の出荷が早くから行われていたことにあるだろう。

こうした繁栄を築けたのは、やはり留萌が内地へも運ばれる水産物の産地として早くから栄えていたからだ。元々、この地域の発展は増毛のほうから始まった。江戸時代後期には久保田藩の陣屋も増毛に置かれていて、松前と増毛を結ぶ航路は大いに利用されていた。このこともあり、1897年には増毛に支庁が設置されている。増毛に始まった繁栄は1910年に留萌と深川の間に鉄道が敷設され、船から鉄道へと交通機関が移ったことで変わった。1914年には、増毛支庁が廃されて留萌支庁が誕生している。留萌に支庁が移ったのは単に鉄道が通ったからではなく、留萌のほうが現在の振興局管内を統轄するのには地理的な位置が合っていたからだった。それでも、鉄道が開通したことのインパクトは大きく留萌は次第に人口が増加していった。これ併せて港湾の整備も進んだ。1931年には留萌港が完成したが、この港湾は外港、内港、副港の3段方式の珍しい港で、留萌の名を一躍有名にした。

文化レベルの高さは戦前から

そんな留萌に豊かな文化が生まれたのは、やはり鰊で栄えたことに尽きる。鰊で財を成した多くの人々が茶華道に親しみ句を詠んだ。そうした文化の醸成ゆえか、今では僻地と思われがちな留萌には大勢の文人墨客が訪れている。戦前には、若山牧水、野口雨情らが訪れたことでも知られている。

そうした中で、留萌から出て名を成す者も現れた。『赤色エレジー』のあがた森魚は、育ちは小樽だが生まれは留萌の人である。ミュージシャンとしてよりはサブカル文化人としての評価が高い気がする掟ポルシェは、高校まで留萌で育った。『紙のプロレス』の連載は大変に好評だったが、女子プロレスのおっかけをやりすぎて借金を背負ったあたり、やはりただものではない。ほかにも、ブラッドサースティ・ブッチャーズは初期メンバーの３人が留萌出身。怒髪天の上原子友康もそうだし、とにかく王道ではなく我が道をいく系の人材が留萌では育つようだ。『恋のバカンス』のようなポップスや『宇宙戦艦ヤマト』の主題歌まで広く手がけた宮川泰も留萌の生まれ。そのためか、留萌市では吹奏楽といえば『宇宙戦艦ヤマト』の主題歌という独特のノリがある。

こうした独創性の高い人材は戦前から育まれていた。『アイヌ民族抵抗史』を書き、アイヌ問題に人生を捧げた新谷行は小平町の出身である。『秩父困民党』を書いた西野辰吉は初山別村の生まれである。留萌に取材した作家も多く、石原慎太郎は『刃鋼』、吉村昭は『鳥の浜』『鳥と鞠藻』を書いている。とにかく留萌一帯の自然には文化を育むなにかがあるのかもしれない。

こうしてみると、留萌は「かつては栄えていて多くの大人物を輩出した」というよりも存外に、近年に至るまで連綿と輩出し続けているように見える。確かに鉄道は利用者が減少して廃止されそうである。全地域が過疎になっていることは否めない。それでも、もはや産業もなく衰退しているほかの地域よりは栄えているように見える。要は衰退と共に留萌や増毛あたりへの集中が進んでいるともいえるのだ。これまで産業構造の転換で多くの地域が衰退する中で、ここまで持ち堪えているエリアも道内では珍しい。これも、一旗揚げる系の人材を輩出してきた結果なのか。

やっぱり地元の金融機関が強いのか留萌市では、ほかの地方の銀行関係はあまり見られない。もっともコンビニのＡＴＭで事足りるが

地域の中心となっているだけあって留萌市内にはあちこちに行政の出先機関が点在している。１カ所に固まってないのはどうしてなの

留萌本線廃線問題を追う
市民も廃線に乗り気？

地元民も使わない留萌本線

広い北海道。すべてを見ることはできなくとも、留萌から増毛まで足を伸ばそうと思ったが断念した。朝、増毛までバスで出かけて戻ってきたとする。おそらく12時18分には間に合わないだろう。とすると、次の深川行きは16時17分。歴史の長い増毛である。1日がかりで見て回るところもあるだろうが、急げばそんなに長くはかからないはず。とすると、限られた取材日程を増毛か留萌で呆然として過ごすことになるのか。涙を呑んで深川へと向かうことにした。

9時4分の深川行き、発車時刻になっても留萌駅の周辺に人がいない。駅前の自由市場は営業している店舗があるが、決して買い物客の数は多くない。観光案内所を兼ねた土産物屋も残念ながら観光案内はオマケのような雰囲気だ。もはやにぎわいは郊外へと移動しているようだ。もっとも、夜の街にはネオンの灯っている店も多かったから衰退する都市の中では、まだマシかもしれない。

そんなことを考えながら待つ留萌駅。コインロッカーもない駅で唯一輝くのが、立ち食い蕎麦屋だ。かつては駅に必ずあった何の変哲もない立ち食い蕎麦屋。代金は現金手渡し。汁はひたすらに濃い。でも、そのなんの変哲もないのが心地いい。にしんそば６００円なりで腹ごしらえして待っていると、深川からの列車がやってきた。一両しかない列車から降りてきた人は10人もいない。うち何人かはカメラを抱えた鉄オタ風。つまり、普段からの利用者は５人もいないということか。仮にも「本線」という名がありながら、地元民の利用も多くない。それが留萌本線の実情だ。

もう必要とされない留萌本線

鉄道の廃止が議論されると、たいていは沿線自治体が反対を表明。とりあえずは、自治体の支援で存続を模索するところが多い。しかし、留萌本線の場合にはそうではない。もはや廃止はほぼ決定。あとは、どういう形で廃止するかが議論の中心である。２０１６年に増毛駅までの区間が部分廃止になった際に、留萌本線はちょっと話題になった。なにしろ留萌・増毛間は高倉健主演の映画『鉄道員』の舞台にもなったところである。とはいえ、観光客もわんさかと押し寄せるわけでもない路線の存続は厳しかった。路線は保たなかったが、駅自体は観光施設として価値があるのか、増毛駅は増毛町に無償で譲渡されて観光施設に転換されたと聞く。この廃止にあたり、ＪＲでは代替交通機関である沿岸バスが運行していない深夜と早朝には、乗り合いタクシーの輸送経費を10年間支援することを決めている。鉄道を存続するくらいなら、乗り合いタクシーの料金を払った方が安くつくというのが、もう鉄道の惨状を示している。いや、実際乗ってみた感想は「昭和かよ！」なのだ。なにがといえば、車両に冷房がないのだ。今どき内地の鉄道では超ローカル線でも後付けで冷房を設置している場合がほとんどだが、堂々の非冷房車である。昭和はともかく平成には消滅していたと思ったのだが……おかげで窓を開けて風にあたりながら、高校生のころを思い出すことができたよ。

そこまで酷い留萌本線をいかに廃止するか。２０１６年にＪＲ北海道では全面廃止を提案したが、留萌市はノリ気。対して深川～恵比島間の沿線、沼田町や秩父別町では一部存続を求めた。留萌市がノリ気の理由はまず費用。このまま鉄道を存続した場合には、留萌市（を含めた沿線４自治体）は年間６億円の赤字負担を求められることになる。そんな費用を払うのであれば、鉄道は廃止してバスに転換。オンボロな駅はさっさと取り壊して体育館や文化センターを集約した公共施設をつくりたいというわけである。対して、沼田町では通学利用者も多いため、バス転換には難色を示している。沼田町ではＪＲ留萌本線対策室を設けて、利用促進のために様々な方策を講じている状況だ。また、同様に通学利用者の利便性という観点から、深川市も廃止には難色を示している。２０２０年10月に開催されたＪＲ留萌本線沿線自治体会議では、ＪＲ北海道は依然として全線廃止の意向を示した。このことで議論は膠着。２０２１年２月には、会議の議長を務めていた留萌市が協議から離れるに至っている。２０２０年８月の段階で４自治体の共同で、一部存続を前提にＪＲ北海道と協議をする方針を固めていた。だが、留萌市はその合意を撤回。留萌市の区間バス転換でけっこうなので、一部存続協議にはかかわらないとしたわけである。もはや、事態は混迷を深めているというしかない。

仮にバス転換したとしても、沿線自治体は費用を負担する必要は出てくるし、今度はバス路線をどうやって維持していくかが問題となってくる。なにしろ、全国的にバスの運転手の確保は困難になっている。それに、JRとの定期の差額分をどうするかも問題となる。

だが、留萌市が廃止にノリ気なのは市民の意見がそうだからである。2020年9月に市民団体「留萌本線にまだ乗り隊?」が発表したアンケートの結果では、廃線を容認する声が56・5パーセントで半数を超えている。もはや、誰も鉄道の必要性を感じていないのだから仕方ない。

しかし、この必要性のなさも悪循環である。鉄道を維持するためには減便や駅の廃止などサービスを低下させなくてはならない。結果、とてつもなく使い勝手の悪いダイヤが組まれ、利用客はますます離れていく。結局、民営化以降の利潤追求姿勢の結果が、必要とされない鉄道を生み出しているのだ。

まだ駅そばは現役で営業中の留萌駅。キヨスクもないのに、そばがあるとはどういう事情なのか。にしんそばは汁が濃いめなのでよし

ローカル線にありがちな一両編成だけどまさかのクーラーなしとは。やたらと鉄オタ風の人が目立っていたのは廃線間近だからなのか？

名門リゾート富良野のこれから

観光客の減らない富良野

雪の降っている時期かラベンダーの咲く季節が売りの富良野。特にスキー場は、FISワールドカップのコースとしても使われた名門である。ドラマ『北の国から』も思えば遠い昔の作品になってしまった。とはいえ、観光地としての富良野は強い。2019年には宿泊客数46万1824人、日帰り客数142万7719人。コロナ禍の2020年でも宿泊客数15万5172人。日帰り客数90万4865人となっている。前年度比では56パーセントとほぼ半減だが十分多い。コロナ禍で日本屈指の観光地である京都ですら観光客がいなくなり、破綻しそうだというのに、ここ富良野には、とてつもない数の観光客がやってきているのだ。道内と道外で分類すると2019年は道内127万2372人、道外61万7771人。2020年は道内73万4234人、道外32万5802人となっている。おまけにコロナ禍でも2020年には1264人も外国人観光客が来たのだ。とにかく観光地としては北海道随一の有望な地域なのである。

しかし、これだけ観光客が来ても富良野の経営は厳しい。温泉宿泊施設・ハイランドふらのなどを運営する富良野振興公社は、6期連続で続いていた黒字決算が一転、2020年度は3885万円の赤字となっている。富良野チーズ工房などを運営するふらの農産公社も、2020年度は2200万円の赤字決算となっている。それでも、まだ耐え忍べば……という状況なのだから観光地としては優良物件であることは間違いない。

将来に向けた投資が熱い富良野

そんな富良野は、ニセコに続く新たな投資先として脚光を浴びつつある。今やニセコは世界的な観光地となり、2020年にも、東山ニセコビレッジ　リッツ・カールトン・リザーブが開業するなど開発熱は冷めていない。そんなニセコに続く開発投資先として富良野は熱い。冬はスキー客を集め、夏はラベンダー畑で癒される富良野は優良な投資先なのだ。完全にブランド化し土地価格が高騰したニセコに比べて、富良野はまだまだ土地が安い。富良野スキー場の中心にあたる北の峰では、土地価格の相場が過去3年で4倍近く上昇している状況だが、それでもニセコの一等地に比べると3分の1程度の値段になっている。ならばと、ニセコに続いてアジアの富裕層を呼び込もうとする熱が加速しているのである。

2020年12月には富良野で初めて外資系ホテルコンドミニアムのフェニックス富良野が開業している。地上6階建ての建物の立地は北の峰のゴンドラの前。玄関を出たらすぐにスキーが楽しめるというロケーションである。全33戸は最高価格で2億3000万円なのだが開業前に完売している。主な購入者は香港やシンガポールの富裕層だとされている。

物件が売れるのはその安さである。ニセコでは同等の物件が5億円近くで売買されているので、富裕層には極めてお買い得、かつ今後の値上がりが期待できる物件なのだ。この物件を開発した倶知安町の不動産会社のH2グループは、オーストラリアと香港の資本が入る会社である。同社では、さらに2棟のホテルコンドミニアムの建設を計画し、うち1棟はすでに着工前から分譲が始まっている。

こうした大規模開発以外にも、通年で観光客の来る富良野では外国人による不動産購入が相次いでいる。とりわけ貸別荘は安定した運用ができる投資物件として人気が高まっている。もはや富良野は第2のニセコなのだ。

ニセコの大失敗を今のうちに学べ

一方で、急激な開発は富良野にも得体のしれない状況を生み出している。不動産価格の上昇を好機とみて個人宅を売り払い、市街地や札幌へ引っ越していく住民も増えた。不動産業者が買い取ったものの、冬もそのまま放置されて廃屋化しつつあるような家もある。この投資熱の中で、値上がりしそうな物件ならなんでも買い漁る投機の状況が生まれているのだ。

国際リゾート化と共に住民は住みにくくなる。それはすでにニセコが体験していることだ。右肩上がりで上昇していく土地は転売が相次ぎ、空き地のままに放置。誰が住むのかわからないままアパートも建設される。それも2ＬＤＫで家賃10万円を超える首都圏並の物件が、である。リゾート施設で働く労働者は施設の近くには住むことも叶わない。それどころか倶知安町では土地が高騰したことで街の人がマイホームを持つことすらできなくなっている。まるで発展途上国の豪華なホテルでリゾートを楽しむ先進国の人々と、かいがいしく仕える現地人の姿のようだ。長らく日本人は自分たちが「使う側」だと思っていたが、気がつけば「使われる側」になっていたんだと実感せざるを得ない。

外国資本の急増したニセコはにぎわうようにはなったものの、町の税収は増えず雇用も増えてはいない。そもそも日本語しか話せない日本人へのリゾート求人はある程度限定されてしまう。

単なる観光客はもちろん、世界の富裕層が好む土地として発展の可能性を見ている富良野。でも、ニセコという前例がこのまま突き進めば地獄であることを教えてくれている。富良野はどういう未来へと舵を切るのか。

富良野市の観光客数データ（単位：人）

	総数	宿泊客数
1990年	2,052,568	436,014
2000年	2,143,135	530,239
2010年	1,782,290	424,609
2016年	1,859,966	521,908
2017年	1,894,418	549,316
2018年	1,919,094	489,757
2019年	1,889,543	461,824
2020年	1,060,037	155,172

※富良野市公表データより作成

各地の市町村で繰り広げられる「北海道のへそ」論争

地元民の努力で築き上げた富良野の「へそ」連帯

北海道の中心はどこか。産業や人口という意味合いでいえば、札幌市ということになるが、問題はそこではなく地理的なもの。道民の一般常識と広く知れ渡っているのは富良野市だ。自他供に「北海道のへそ」と認められている。その根拠となっているのは、富良野小学校の敷地内に建っている「北海道中央経緯度観測標」だ。緯度は、東経142度23分・北緯43度20分。1914年に、京都帝国大学（現・京都大学）の調査チームが、ここに地球重力測定や天体観測経緯度などの測定を目的として機械を置いたことに由来している。

富良野市は「北海道のへそ」に小さくないプライドを抱いている。というか、昔からまちづくりの中心に据えているといっても過言ではない。1969年に制定された富良野市民憲章には、「私達は北海道の中心標の立つ富良野市民です」という一文が明記されている。この市民憲章を基に富良野市では「へそ」による街おこしが急激に広まっていく。市民憲章が制定された同年に開催されるようになった「北海へそ祭り」がその最たる例だ。この祭りは腹に奇妙な絵を描いて踊るちょっとヘンなお祭りなのだが、地元の「ヘソ三羽ガラス」と呼ばれた人々によって考案されたのだという。ところが、あまりに奇妙な踊りだったために、踊り手を集めるのにひと苦労だったそうだ。記念すべき第1回の際には、ようやく集めた11人で踊ることになった。

そんな「北海へそ祭り」も現在は2日間で約4000人を動員、年間7万人の観光客でにぎわう富良野市を代表する祭りとなっている。2020年はコロナ禍によって開催を危惧されたが、「続けなくてはならない」という信念のもと、オンラインで開催。祭りとしての利益は見込めないし、むしろ人件費などでマイナスになるはずだ。それでも開催を続けているのは富良野市が「へそ」に並々ならぬ執着心を抱いているからである。何せ「北海へそ祭り」を正式な例大祭にするために、通称「へそ神社」と呼ばれる北真神社まで建立したぐらいである。ちなみに「北真」とは、〝北〟海道の〝真〟ん中という意味が込められている。『北の国から』で何度も登場しているへそ歓楽街も、市民憲章以降に名称が定着した。こうした「へそ」にまつわるエピソードを聞く限り、富良野人の地元愛と団結力の強さを感じずにはいられない。

国内じゃ勝てないから外国人にアピールする旭川

富良野人による強烈な「へそ」アピールによって、今ではすっかり鳴りを潜めているが、かつては旭川市も「へそ」を自称していたことがある。『旭川市史小話』という市史編さんの際のこぼれ話をまとめた本があるのだが、その中に「道庁を旭川へ」というタイトルの逸話がある。

1909年に札幌の同庁が全焼した際、旭川の町議会で「これを機に道庁を旭川に移そう」という声が上がり、移転騒動に発展したという。そのときの旭川は「旭川は北海道のへそにあたる地理的中心地」を主張したそうだ。これに対し、札幌の議会は「人間はへそで動くのではない。頭で動くものだ」と一蹴した。このように旭川人には、自分たちの街こそ「北海道の中心にふさわしい」という考え方が根底にある。今では逆立ちしても札幌には勝てないし、「北海道の第2の都市」に甘んじている。「へそ」も富良野人の思わぬ頑張りによって名乗ることは叶わない。

それでも何とかして北海道の中心になりたかったのだろう。なんと旭川空港の呼称を「北海道のまん中・旭川空港」に変更してしまったのだ。市長は、「〝ちょうど北海道の真ん中にあるんです〟ということを世界の皆さんに知っていただきたい」と説明。札幌、富良野との中心争いは劣勢なので、外国人を巻き込んで北海道の中心を奪還しようとしているんじゃなかろうかと勘繰りたくなってくる。

しかも、ちょっといやらしいのが、「北真神社」と被らないように、〝北〟海道の〝ま〟ん中とビミョーに字を変えてきている点。団結心と継続性で歴史を作り上げてきた富良野人に対して、旭川人はちょっと姑息というか、セコくないかい。

北方領土を含めば新得町が中心⁉

最後に、あまり知られていない北海道の真ん中がある。それは新得町。新得駅前には「北海道の重心地」というパネルが設置されている。富良野市に比べれば、すっごい地味なので、ほとんど知られていないのだが、1993年に国土地理院が発表したところによると、北海道のど真ん中は十勝岳東部にあたる東経142度49分40・北緯43度28分02が正しいという。

なぜ富良野市と新得町のふたつに真ん中が来ているかというと、国土地理院が北方領土を我が国の国土に含めて計測したからだ。根室人からしてみれば、「そのほうが正しい」と納得するんだろうが、富良野市には「へそ」として築いてきた歴史がある。やっぱり「北海道のへそ」論争では、富良野市に軍配が上がるといっていいだろう。

北海道の「へそ」論争をリードする富良野市。定着させたのは富良野人が街ぐるみで連帯し、50年に渡って続けてきた継続性の賜物

旭川も開拓時代から「へそ」を謳ってきたが、やり方がちょっとセコいせいか、イメージどころか市民にさえ根づいてはいない

優良な観光資源が宝の持ち腐れになっている旭川

藤圭子の歌声が街の雰囲気

旭川で元来もっとも目立つ産業は自衛隊である。明治以来、長らく軍都の象徴であった陸軍第七師団は日露戦争の旅順、奉天の戦いからシベリア出兵、ノモンハンや第二次世界大戦のターニングポイントとなったガダルカナルなど、歴史に残る戦場を多く経験してきた歴戦の勇士。というか、ひどいところばかりに送られた部隊だった。

そんな軍都の始まりは屯田兵である。もとより北海道の警備と開拓の美名の下で植民地支配の尖兵として発展してきたのが、この街である。初期の屯田兵は、行き場を失い屯田兵に身を投じることにかすかな希望を持った人々が多く含まれていた。そんな人々が基礎をつくった街には、次々と食い詰めて北へと流れ着いた者たちが住み着いた。

そんな旭川を象徴する人物といえば藤圭子だろう。今回、つらい取材の道のりを、こまどり姉妹と藤圭子の歌で癒しながら歩いた。藤の代表曲といえば『夢は夜ひらく』あたりだろうが『旭川の女』という曲も歌っている。そんな彼女も、やはり北海道へ流れ着いた係累だった。

今は跡形もないが忠別川の忠別橋のたもとあたりには大正時代ごろからスラムがあった。北海道ではこうしたスラムを「サムライ部落」とか「厚生部落」と呼んでいた。旭川のスラムは戦後、引き揚げ者も住み着き拡大した。旅回りの中で、そんなところへ流れ着いたのが藤の一家であった。旅回りの芸人の生活の苦しさや、子供のころから抜群に歌が上手かったことはいくつもの書き手によって記されている。

今は宇多田ヒカルへと受け継がれている、あの情念と怨みの入り交じったような美しい歌声の背景に、旭川の歴史が積み重ねてきた昏さがあることは、いうまでもない。だから旭川の街を歩くときには藤圭子の歌が自然と口に出る。

旭山動物園の流転

そんな旭川が観光地として脚光を浴びるきっかけとなったのは旭山動物園であろう。もともと1960年代に地方での動物園設置のブームの中で誕生した旭山動物園は凡庸な動物園に過ぎず、赤字を垂れ流す施設となっていた。

これを激変させたのが「行動展示」である。これは、従来の動物がオリの中でのんびりと過ごしている展示をやめ、野生に近い環境を作り出すことで動物がいきいきと活動する様子を伝えるものだ。このために赤字の動物園にさらなるリニューアル予算を投じたのは正解だった。リニューアルはあたり、旭山動物園は、北海道で絶対に行きたいスポットとしてにぎわうようになったのだ。2007年にはついに入場者が300万人台に到達。もっとも近年は、絶頂期の半分程度まで客足は落ちている。ただ、これも悪いことばかりではない。なにしろ旭山動物園は人が多すぎた。まず動物のいるところまで近寄るために尋常じゃない待ち時間を強いられるディズニーランド並みの混雑。何十分も待ってペンギンを見て「ほぉー」といって写真を撮って終わりである。筆者は思った……そう、稚内の水族館なら300円で誰にも邪魔されずに1日眺めていられるぞ、と。なので、むしろ現在のほうがそこそこ空いていて動物を楽しむことができる優良なスポットになったといえる。

しかし、せっかく動物園が盛況でも問題は多い。北海道観光の問題点は、人気スポットへの移動時間がかかること。札幌から旭川へ移動するだけでも1時間半はみなければならない。ならば、旭川のほかの観光スポット組み合わせて1泊と思うが、いまいち弱い。『氷点』や『石狩峠』で知られる三浦綾子記念文学館も旭川の観光スポットとして名高いが弱い。結果として「遠いから旭川動物園は断念」となるケースはままある。

そんな旭川に新たな観光の波をもたらしたのが漫画作品『ゴールデンカムイ』だ。これまで旭川にはアイヌの聖地である景勝地・神居古潭があることは知られていたが、わざわざ訪れる観光客は少なかった。ところが『ゴールデンカムイ』で第七師団の軍都として栄えているころの旭川が、そのまま舞台として登場した。つまり、旭川の街に点在する様々な施設が、そのまま人気の観光地となったわけである。作品がアニメ化された2018年以降はファンも急増。その熱さを示すのは冬場にも神居古潭を訪れる人が増えたことであろう。市内に散らばる軍都の史跡や博物館などもファンの訪問で来場者数をどんどん増やしている。

ファンにとって旭川を訪問する理由は、作品の時代当時の史跡や資料展示が数多く存在することに加えて、北海道の中で比較的訪問しやすいことに尽きる。なにしろ『ゴールデンカムイ』で描かれるのは、北海道全土。北海道観光振興機構では作品にちなんだスタンプラリーを開催しているが、この際にも旭川はもとより小樽から網走、釧路まで巡らなくてはコンプリートできないことが話題になった。コンプリートを目指すこと自体が北海道の魅力を知るという意味では面白いのだが、全土を巡るのが日程として不可能ならば、絞った訪問地として旭川は選ばれやすい。

だが、旭川は観光客の受け入れ体制がいまいち。動物園へのアクセス環境もしかり、旭川駅の外観も、今どきのありがちなものでワクワク感はない。せっかく優秀な資源があっても、その魅力を削っているのが、旭川市の現状であり、弱みなのだ。

旭川建設の礎ともいえる屯田兵と第７師団関連の資料が豊富な北鎮記念館。何度か改築・移転をしており、現在の建物は3代目だ

赤字施設から旭川を代表するスポットとなった旭山動物園。型にとらわれず柔軟に考えれば成功するという好例を旭川に残した

隠ぺい体質がヒドすぎる旭川で事件や不祥事が続々発覚！

旭川いじめ問題でわかった教育行政の腐敗ぶり

旭川の「まちの問題」といえば、２０２１年３月に旭川市内で中２女子が凍死した事件が真っ先に思い浮かぶ。本書の執筆段階（２０２１年７月現在）では、いまだ真実は明らかになっていないが、根本にあるのがいじめ問題であることは間違いない。旭川人も注視しているだろうが、簡単に事件の経緯を時系列に追ってみたい。

まず凍死した女子（以下：被害者）がいじめを受け始めたのは２０１９年４月のこと。学校近くの公園で知り合った2学年上の男女グループによるいじめであった。ＳＮＳ上で、裸の写真を送れなどという脅迫メッセージを受け取り、被害者はわいせつ画像を送付。翌日にはその画像が学校内で拡散された。それをきっかけにいじめは激化の一途をたどり、２０１９年６月にはウッペツ川に飛び込むように指示され、警察が出動する事態にまで発展した。

当初、警察はいじめグループから「母親の虐待」が原因という説明を受けていたが、その後の捜査でいじめと断定。わいせつ画像の存在を確認し、いじめグループに厳重注意を行っている。

だが、それ以降もわいせつ画像の拡散は止まらず、被害者はＰＴＳＤで入院するなどして、２０１９年９月に引っ越し。その後は自宅で静養していたが、２０２１年３月に凍死体で発見された。ちなみに、この事件は今も自殺とは断定されておらず、旭川署は捜査中である。

いじめの内容だけでも筆舌に尽くしがたいが、何より気持ちを滅入らせるのが被害者が通っていた中学校の対応だ。被害者の親は、２０１９年４月当初から担任に何度もいじめの相談を行っていたが、一向に取り合ってもらえなかった。それどころか、彼氏とのデートを理由に面会を断ったともされている。しかも、地元メディアによって、いじめの件が記事化されると、当時の校長は

「いわれのない誹謗中傷」として、生徒たちにプリントを配布したという。だが、すでにこのときには学校側はわいせつ画像の存在についても認識していたにもかかわらず、「いじめはない」と説明していたのだ。

実は、学校には調査報告書が存在しており、遺族などが開示を請求しているが、これをすべて拒否。徹底的に隠ぺいが図られている。ここまで社会問題化しているのに、いったい何を守るものがあるのか甚だ疑問でしょうがないが、その対応を見ていると、苛立ちばかりが湧き起こってくる。

学校側の対応も最悪だが、当時の調査の流れがもうメチャクチャだ。旭川市教育委員会は、社会問題化してから学校側に調査を指示するなど体面を取り繕っていたが、実は被害者が川に飛び込んだ時点で、旭川教育委員会には北海道教育委員会から「すみやかな調査と事実確認」を口頭で指導されていた。旭川教育委員会はＮＨＫの取材に対し「経緯を調べ、道教委に報告するなどのやり取りはあったが、指導を受けたという認識はなく、当時いじめに関する調査は行わなかった」と回答。もはや誰が諸悪の根源なのかわからず、関係者全員が悪人のように見えてくる。旭川の教育行政はアウトレイジなんだろうか⁉

トップが腐れば組織が腐る…お前らはミカンか！

このいじめ問題において、学校・教育関係者が隠ぺいしていることは明白である。国会で文部科学大臣が「政務三役が現地入りして調査することも辞さない」と答弁していたが、このまま闇に葬られたとしたら、遺族が浮かばれない。

この事件の真相究明については、文春さんや国に期待したいところだが、そもそも旭川では、こういった権力側の隠ぺいや不祥事が起こりまくっている。たとえば、ある社会福祉法人の裏金事件。介護給付費の不正請求が問われたほか、架空工事による裏金づくりなどやりたい放題で、トップを務めるのは元市議会議長である。旭川医大では学長が汚職やパワハラのしまくりで解任騒動が巻き起こっている。ついでに北海道新聞の記者が潜入取材を試みて逮捕されるというオチまでついて、悪い話題には事欠かない。旭川の組織はどこもかしこも腐敗しきっていると見られても仕方がないだろう。

では、どうしてこんなに旭川で問題ばかり起こるのか、旭川出身者に取材したところ、なかなかおもしろい話が聞けた。

「いやあ、組織の腐敗ってのは北海道のお家芸みたいなもんなんだよ。そもそも北海道って他県から干渉されることがないでしょ。だから、あんまり指摘されたり監視されるようなことがなくて、一度組織の腐敗が始まると自浄作用が働かなくて止まらないのよ。中でも旭川はさ、デカいわりに札幌よりも他県との交流が少ないから組織がすっごく閉鎖的なの。もともと軍隊の街ってのも関係しているのかもしれないけど、トップのいうことには従う人が多い。談合とか癒着なんて旭川じゃ日常茶飯事なわけ」

さらに、北海道のメディアがやたらと反権力志向が強いのは、腐敗した組織があまりに多いからだとも語ってくれた。北海道新聞の記者が不法侵入をしてまで旭川医大を取材したのも、北海道における「権力VSメディア」の意識が強いからではなかろうか。北海道の地元メディアに対する他県の反応は賛否両論だが、道内に限っていえば唯一の自浄作用でもある。特にいじめ問題は徹底的に追及し、将来の禍根を絶ってほしいものだ。

旭川市の学校で起きた重大事件

旭川学力テスト事件
1956年から1965年にわたって行われた学力テストに反対する教職員などが学内に侵入して実力行使。首謀者たちは建造物侵入罪、公務執行妨害、共同暴行罪などの罪に問われた
女子中学生集団暴行事件
1996年発生。市立中学校に通っていた女生徒が2年間にわたり性的暴行を受け、最終的には強姦事件に発展したが、当初学校側は事件の隠蔽を図った
旭川中学生行方不明事件
2012年発生。姉とケンカをした男子生徒が自宅で暴れたあと失踪。そのまま姿を消した。2021年7月現在でも行方はわかっていない
女子中学生いじめ凍死事件
2021年発生。わいせつ写真の撮影を強要されるなどいじめを受けていた女生徒が自殺未遂を図り、PTSDにより不登校状態となった。女生徒はその後厳寒期に外出し凍死。このケースでも学校側は事件の隠遁を図っている

※各種資料により作成

北海道コラム 5

稚内の対外感情は変化したのか

2000年ごろ、北海道で話題になったのが銭湯などの「外国人お断り」問題である。港町の銭湯などで急増するロシア人対策で実施されたこれに、在日外国人らが差別であると抗議し、あちこちで取り上げられた。稚内でも、当時はまだ5軒くらいあった銭湯の中には外国人お断りを掲げるところもあった。いや、きれい事はいくらでもいえるのだが、ソ連崩壊後、現在のプーチン大統領の体制が確立するまでのロシアのモラルの崩壊は尋常じゃなかった。なにせ、稚内をにぎわせたカニだってどうやって獲っていたものだか。そんなモラルの崩壊したヤツらがやってくるのだ。施設は破壊されるは泥棒するヤツはいるわでは「お断り」にせざるを得ない。そう筆者の事務所の近所に、外国人客でにぎわっている銭湯があるのだが、入口には堂々と「日本語を理解できない方お断り」と書いてある。要は、郷に従えないヤツは来るなということ。筆者だって別にキリス

トの神なぞ信じていないが、教会に入るときには帽子は脱ぐ。

さて、崩壊したソ連の余波で大いににぎわった稚内。そんな街の銭湯はどうなっているのか？　すでに銭湯はなかった。唯一銭湯っぽいところはライダーハウスとなり、海の駅でもある稚内副港市場に併設された「稚内天然温泉港のゆ」は2020年3月に閉鎖されていた。外国人を断る断らない以前に、かつてのにぎわいがすでに消えている。街の中にあるロシア語の道路標示、商店街の看板もなんのためにやっているかわからない。そして、稚内人もあの狂乱の一時期はなかったことにしたいらしい、あちこちで「昔はロシア人がカニを売りに来てにぎわったと聞きましたが」とたずねてみても顔を背けられた。ソ連崩壊後の混乱期に「極東のカニ王」と呼ばれるロシア人オレグ・カンのような人物を生み出すなど北の海は大いに荒れ、そしてにぎわった。稚内では2001年に起こったロシア・マフィアの貿易会社社長が市内の事務所で射殺された事件。2005年にロシア人船員相手の両替をしていた日本人が車内で射殺された事件とふたつも未解決事件を抱えている。2002年にはロシア側でも国境警備局の地区隊長が射殺されるなど、得体の知れない外国人の往来でにぎわっていたのが、稚内であった。

そんな混乱の時代も終わって、今は平和な貿易都市とならなかったのが稚内である。数少ない海外定期航路だった稚内～コルサコフのフェリーは2018年を最後に運航されていない。もはや貿易ルートとして稚内は機能していないのである。今後、極東ロシアとの貿易が活発化すれば再び稚内に訪れる外国人のマナーは問題となるかもしれないが、現状は考えることもできない。問題があっても外国人でにぎわっていた時代はまだよかったのか。なんにせよ、国境に位置している以上、稚内は常に外国人との軋轢の最前線だといえる。誰もが利益を得ようという目的でやってきているのだから当然である。

第6章
存在感は薄いが密かにたくましい道東

廃止論まで飛び出したばんえい競馬は十勝人の誇り

世間の注目を浴びた「馬蹴り上げ事件」

真の競馬好きは「ばんえい競馬を一度は観たほうがいい」と言う。というのも、ばんえい競馬のレースが実に熱狂的だからだそうだ。レース中は周囲の観客が喉をからすほど応援し、ばん馬と一緒にコースの脇を走るのだという。まさに馬と人とが一体化しているような熱いレースは、一般的な競馬場では味わえない興奮だ。残念ながら、今回の取材日程ではレースの開催日に行くことができず、動画サイトの映像でしかレースを見ていないが、確かに周囲の観客による応援の声がスゴイ。しかも、観客とコースがとんでもなく近い。帯広競馬場を訪れるとレース場への入口は閉鎖されていたが、併設された「とかちむら」

からコースを間近に見ることができた。コースはもう目と鼻の先で、そこから見る1トン近くのばん馬の姿は壮観だろう。帯広人にとって、ばんえい競馬は身近な憩いであり、アイデンティティでもある。

だが、そんなばんえい競馬に全国から批判が集まった。2021年4月18日に開催された第1回能力検査の第18レースで、騎手がばん馬の顔を蹴り上げる様子がライブ配信されたからだ。これにネット上は騒然。「これはひどい」「ばんえい競馬自体、虐待では?」「こんなの廃止しろ!」など、否定的な意見が並び、騒動に発展した。さらに、これ動物愛護団体が反応。あの杉本彩も帯広市にばんえい競馬廃止の要望書を提出するなど波紋が広がった。

しかも、批判に拍車をかけたのが、騎手が「イライラしてやってしまった」というコメントを出したと報道されたからだ。イライラして馬の顔を蹴り上げるなんて言語道断だと愛護団体がキレるのも無理はない。主催者側も「許される行為ではない」とコメントしており、当該騎手に対して厳重注意を行ったうえで戒告処分とした。この騒動以来、動物愛護者はばんえい競馬に対して厳しい視線を送り続けている。

ばん馬は十勝に欠かせないレガシーだ！

一方で、現地の帯広人は擁護の声を上げている。「蹴った行為そのものはよくなかったかもしれないけど、だからといってばんえい競馬廃止はやりすぎ」というのが帯広人の大半の感想だ。地元の誇りでもある「世界唯一の競馬」を守りたいという気持ちもあるが、そもそも何も知らない外野から「虐待だ」「廃止だ」なんて言われるのは心外だからである。

帯広をはじめとした十勝人は、ばん馬に対して並々ならぬ愛情を抱いている。十勝人は、ばんえい競馬を単なるギャンブルの対象として見ているわけではなく、信仰にも近い思いを抱いている。

歴史的に、ばん馬は十勝の開拓に必要不可欠な存在だった。開拓時代に長距離輸送の手段として道内各地に鉄路が敷かれたが、駅までの輸送手段は馬車などに頼るしかなかった。しかも十勝地方は、ほとんど道路整備もままならない状態だった。そこで、開拓に必要だったのが大量の荷馬であった。だが、路面が凍結でもしていると馬車は使えず、馬の背に荷物を乗せて輸送するしかない。

そのためには体高が低く、タフで大人しい性格の荷馬が理想だった。こうした資質を兼ね備えていたのが、東北地方で生産されていた南部馬をベースにした「どさんこ」である。だが、どさんこは体格が小さく、荷物を曳く力が弱かった。そこで、明治政府が北海道開拓のために持ち込んだ西洋種であるペルシュロンという大型の品種との交配によって、ばん馬が生まれたという。

中でも1910年にフランスから輸入されたイレネーという馬は、十勝種馬牧場に配置され、多くの子孫を残した。専門家によれば、現在ばんえい競馬で活躍している競走馬の中には、イレネーの血を引く馬が多数存在する。ちなみにペルシュロンの血を引く馬は「十勝ペル」とも呼ばれたそうだ。

こうして十勝地方ではばん馬は農耕や輸送手段として重用され、1960年代に至るまで生活の一部だった。子供が生まれたときもばん馬が引くソリに乗せられ、亡くなったときもばん馬によって墓地にまで輸送されたそうだ。かつての十勝人は生まれてから死ぬまでばん馬とともに過ごしてきた。ばん馬は、十勝の文化を象徴する存在なのだ。

動物愛護団体は、おそらく「だからといって競馬に利用していいのか」と言うだろう。だが、ばんえい競馬は、日本独自の品種とされるばん馬を保存する手段でもあり、十勝の歴史を伝える語り部でもある。農耕や輸送で活用することがなくなったばん馬は、もはや競走馬としてしか生きていくしか手段がない。ばんえい競馬が廃止されたら、ばん馬は馬肉になるしかなくなるのだ。

こうした文化的背景も知らずに、動物愛護を外野から叫ぶのはいかがなものだろうか。それでいて馬肉を食べる動物愛護家を自分は知っている。だが、全国一の馬の生産地でありながら、十勝人はあまり馬肉を食べない。それは、馬に対する愛情であり、尊敬の念が込められているからだ。だからヨソ者にとやかく言われる筋合いはないし、動物愛護という観点でいえば、ばんえい競馬は必要なのだ。

ちなみに、今回の廃止騒動での当該騎手の「イライラしてやった」というのは記者の発言であって、騎手の発言ではなかったそうだ。記者は軽い気持ちで話題づくりのために書いたのかもしれないが、同じ業界の端くれとしては許せない行為である。情報が氾濫する時代にあって、地元の歴史を脈々と伝えるばんえい競馬。このレガシーは正しく伝えられるべきである。

ばんえい競馬の入口付近にはばん馬の原点ともいえるイレネー像が建っている。十勝人にとって馬は歴史を伝えるレガシーである

十勝人はちょっとぶっきらぼうで農民気質たっぷりだが、ばんえい競馬のレース中はアツくなる。十勝人のばん馬愛は海より深い

根室は本当に北方領土にこだわっているのか

納沙布岬は返還看板だらけのちょっとした異世界

内地最東端の地である納沙布岬は、5月だというのにまだ冷たい風が吹き、春服では肌寒かった。その風に吹かれて、北方領土返還を祈念するために作られた「四島（しま）のかけはし」の下で「祈りの火」がぼうぼうと燃え盛っていた。

納沙布岬は、歯舞諸島のひとつである貝殻島までわずか3・7キロしか離れていない。筆者は視力が2・0なので、うっすらとではあるが、島の存在を確認することができた。この距離感にロシア領土があるなんて、やっぱりちょっと異常なのかもとしみじみ思ってしまった。

だが、それよりも気になったのは納沙布岬の至るところに建てられている北方領土返還を願う言葉の数々である。最初に目に入ったのは「返せ全千島樺太北の防人」という標語。ほかにも「一億の　切なる願ひ　島帰れ　この間近なる　岬に叫ぶ」とか「ひたむきに生きれば道は拓ける」とか、とにかく北方領土返還に関する看板やら石碑だらけである。中には「北方領土奪還　平成二年八月九日　日本民族連合」という石碑もあった。ちなみに、日本民族連合は東京の右翼団体。納沙布岬の光景はあまりにシュールで、失礼ながら、やや冗談めいているようにも感じてしまった。

そもそも納沙布岬に来る前から、根室の街中は「北方領土返還」の看板を多く見かけた。市役所なんて日本国旗の下に「島を返せ」という旗を掲げているぐらいである。正直、花咲ガニよりも北方領土返還のほうが目立っていた。車に乗っていても5分おきに北方領土とか四島の文字を見かけるぐらいだから、根室の本気度は相当である。

関東に住んでいてもときどき返還の看板を見かけることはある。筆者が住んでいる東京西部の駅前には、つい3年前までデカデカと同様の看板が掲げられていた。だが、おそらく関東全県の看板の数を足しても、根室市の足元にも及ばないだろう。それぐらい数が尋常じゃないのだ。

根室人の遺伝子に組み込まれた返還魂

根室市が公表している2021年度の市制方針には、重点施策として「新型コロナウイルス感染症対策と地域資源を活かした産業経済対策」「巨大地震・津波をはじめとした大規模自然災害への防災・減災対策の強化」ときて、「北方領土問題の解決を見据えた関係諸施策の促進」と明記され、政府の外交交渉の下支えになると力強く宣言している。

それもそのはず、すでに元島民の平均年齢は85歳と高齢化が著しく、かつて約1万7000人いた元島民は約5700人にまで減少している。根室市では北方領土問題をなんとか風化させないためにも、街をあげて啓発活動に力を入れている。「北方領土を目で見る運動」という修学旅行誘致活動を、全国に学校に呼びかけているほどだ。

では、当の根室人はどう考えているのだろうか。残念ながら駅前にはほとんど人がおらず、緊急事態宣言のせいで店もまったく開いていない。何とか話を聞けないものかと周辺を散策してみたが、超車社会の道東において、日中歩いている人を見かけるのは至難のワザである。

だが、幸運にも納沙布岬を訪れたところ、ひとりたたずんでいる根室人と遭遇。最後のチャンスと見て思い切って声をかけ、北方領土問題についての意見を聞いてみた。

「そうだねぇ、シマのことは根室の人にとっちゃあ身近なもんだからね。俺なんかは戦後生まれだから、当時の様子はわからないけどさ、それでも子供のころからずっと聞かされてきてるから。学校でも必ず習うし、そこの（北方領土）資料館なんて、よく子供たちが校外学習で来てるから。もう遺伝子に組み込まれてるようなもんだよね。実現すっかはわからないけどねぇ」

まあ、街中に看板があるように、根室人にとって返還問題は日常の一部というか、骨身にしみついているのだろう。領土問題が住民のアイデンティティになっているとは露ほどにも思わなかった。

市街地の活性化にも力を入れたほうがいいんじゃない？

だが、あまりに北方領土問題への思い入れが強いせいか、まちづくりのほうはあまりうまくいっていない。市街地にはシャッターが目立ち、少し駅前から離れると十数年は手つかずになっているだろう廃墟も少なくない。もっとひどいのが花咲港周辺である。かつてロシアとの交流が盛んだった地域で、サケマス漁業の聖地でもあったが、今は見るも無残な廃墟があちこちにある。元々は酒場だったであろう店は外壁が崩れ落ちそうになってもいた。

元島民のためにも返還運動に力を入れるのは当然のことである。根室人の血肉になっていることもよくわかった。だが、このままじゃあ返還される前に根室の市街地がなくなりそうな勢いだ。花咲ガニという名産品もあるのだから、もう少しだけ市街地の活性化に力を割いたほうがいいような気もするが、こんな最果ての地に多くの人がやってくるとは思えないし、やはり街が朽ちていくのを見守るしかないのだろうか。

納沙布岬は「返還」の言葉がそこかしこで踊っており、ちょっとした異世界。視力のいい人なら肉眼で北方領土を確認できる

北方領土返還は根室人の遺伝子に組み込まれているので、固執するのはわかるが、もうちょっと市街地の活性化も考えたほうがいい

廃線まであと一歩 花咲線と釧網線はどうなる⁉

高齢者と学生にとっては死活問題だ！

北海道は完全な車社会ではあるが、実は道路の実延長は全国最下位。特に釧路から根室に至る道路はほとんど一本道で、道路に不測の事態が起きたら両地域が分断されかねない。根室半島は完全に陸の孤島と化すだろう。そのため、道東では鉄道もそれなりに有効な移動手段だったりする。中でも花咲線はけっこう利用者が多い。主に利用するのは学生と高齢者で、根室方面から釧路方面に向かう人が多く、朝の通学時間帯では、満員電車になる。1両で運行本数が少ないという事情があるにしても、生活の足としての役割は果たしているといえよう。

だが、花咲線も存続に向けて正念場に立たされている。2016年にJR北海道は道東の主要路線である花咲線、釧網線を含む10路線13線区を単独では維持することが困難な線区として発表したからだ。JR北海道の基本的な考え方は「輸送密度200人未満の路線」は廃線を検討し、「輸送密度200人以上2000人未満の路線」は設備の見直しや駅の廃止、列車減便等による経費節減に加えて、運賃の値上げなどを検討するとしている。

これを受けて、道東では花咲線、釧網線の必要性を求めて、JR北海道に対して意見書を提出したり、鉄道キャンペーンを展開した。このまま収支状況が改善されなければ、廃線の可能性も現実味を帯びてくるからだ。実際に2019年には初田牛駅が廃止されている。

だが、道東民の祈りもむなしく、花咲線の収支は一向に改善していない。それればかりか新型コロナウイルスの感染拡大の影響もあり、2020年度の赤字が拡大。路線維持のためにかかる費用12億9600万円に対し、収入はわずか1億3000万円。およそ12億円の大赤字であり、輸送密度も238人ともう少しで廃線を検討する「200人未満」の基準まで下落しそうな勢いなのだ。

ＪＲ北海道は無理をして存続してきた

そもそもＪＲ北海道は鉄道会社としては完全に破綻している。ＪＲ北海道の15路線で黒字になっている路線は元々ゼロ。そもそも無理なものを頑張って維持しているようなレベルなのだ。

２０２０年度のＪＲ北海道の連結決算での営業収益は１１１９億円。うち鉄道輸送収入は３５４億円だ。これに対して営業費用は１９２５億円。圧倒的な赤字である。雪国であるゆえに、除雪の費用がかかるし、線路も傷みやすい。花咲線や釧網線のような過疎地では、維持管理も大変なので、営業的には存続させることすら難しいのである。

もともとＪＲ北海道は、利益度外視でもやらなければならないという必要性に駆られて運営してきた面がある。民営化されるにあたって、赤字になるのは既定路線だったが、約６８００億円という大量の「経営安定基金」が設けられたおかげで、何とか運営を続けてきたのだ。その点で、ＪＲ北海道の資産運用はそれなりに優秀だった。２０２０年決算で公表された経営安定基金運用収益は281億円。運用の利回りは4・13パーセントで前年度の3・42パーセントを上回っている。定期預金の金利がよくて0・2パーセントの昨今、数千億円の資金を運用してこの成績はかなり頑張っているほうである。

しかし、この運用益も決算上の収益をよくしているだけにすぎない。実は6800億円の資金は、政府出資の「鉄道建設・運輸施設整備支援機構」に貸し出しており、その「利子」が2パーセントだったり、4パーセントだったりしている。そこら中の政府系機関が「運用で大損した」というニュースが飛び交う昨今、この高利子はかなりの太っ腹であり、普通に考えれば無理がある。

要するに、JR北海道はずっと国の力と意思で「無理矢理存続」させてきた会社なのだ。そして、国がJR北海道を支えるだけのお金を用意できなくなったことが、JR北海道が危機に陥っている最大の問題なのである。

遅かれ早かれやってくるだろう廃線の日

そんな事情を知ってか知らずか、当の釧路人や根室人はわりとあきらめモードである。とある釧路人が「まあ、今までよくやってたよね。なくなるのは寂しいけどさ、こんだけ人がいなくなっちゃったもん、しょうがないよ」と言えば、陸の孤島になりかねない根室人でさえ、「そうなったらなったで何とかするしかないでしょ」と、かなり楽観的だ。網走人なんてもっと楽観的で、「釧網線はもう観光客しか使ってないんだから、シーズンのときだけ運行するとかでいいじゃん」なんて言い放っていた。いや、そうしたら維持費だけかさんでもっと赤字になるんじゃ……と思わず口から漏れ出てしまいそうだった。というわけで、いつか来るであろう廃線の日に向けて、新たな交通のシステムを作ることが肝心である。デマンドタクシーなり、長距離バスの定期運行便なりを考えていかなければならないだろう。楽観的なのは、実に道民らしくて微笑ましいけれど、廃線になるまでの時間を有効活用することも頭に入れておくべきだ。住民のほとんどが老人になる前にね。

根室駅周辺は閑散としており、乗客はほとんど見かけなかったが、朝方の通学・通勤時はけっこうなラッシュで満員電車もしばしば

廃線のラインとなる「輸送密度200人以下」基準まであと一歩。廃線になるのは時間の問題だし、新たな交通システムは必須だ

期せずしてコンパクトシティとなった東武サウスヒルズでにぎわう中標津町

周辺市町村からのアクセスがバッグン！

厚岸で知人と酒を酌み交わしながら北海道暮らしについて、あれやこれやと話をしていた際、オススメスポットとして教えられたのがショッピングセンターの「東武サウスヒルズ」だった。その知人の話によれば、厚岸人は「ちょっとした買い物をするときは、だいたい東武に行く」という。いわく「この辺のおいしいものが安く揃うので重宝する」のだ。そんなにオススメされたら立ち寄らないわけにはいかないので、網走に向かう途中で、東武サウスヒルズのある中標津町へと足を伸ばしてみた。

中標津町は、知床半島と根室半島のちょうど中間に位置し、北海道遺産にも認定されている「格子状防風林」のちょうど中心に位置している。この格子状防風林は、北海道開拓の歴史を物語る貴重な区画割りだ。この区画割りが誕生したのは開拓時代に北海道の道路建設などを行ったホーレス・ケプロン主導で生み出された。上空から見ると森が碁盤の目状に整備されており、180メートル幅の林帯を3300メートル間隔で配置。最長直線距離は約27キロ、総延長は約648キロにも及ぶ。いわば超ビッグな京都のような区画だ（森なんだけどね）。このような区画が造られたきっかけは、根釧台地でたびたび発生した風害を防ぎ、農作物を守るためだった。このおかげで、中標津町は別海町ほどではないにしても酪農の産地として、郊外では農業地帯を形成している。

区画割りが中標津町にもたらした恩恵は、意外にも大きい。というのも、隣接する市町村からのアクセスが格段にいいからだ。中標津の中心市街地を東西に走るミルクロードや別海厚岸線、根室中標津線などの動線が張り巡らされている。鉄道空白地帯ではあるが、根室管内では交通の要衝といっても過言ではない。その中心部に立地しているのが東武サウスヒルズ。周辺市町村の住民を吸引しやすい立地なのである。

東武サウスヒルズの周辺に都市機能が集積

実際、東武サウスヒルズを訪れてみたが、まだ開店間もないというのに、駐車場はすでに3分の1ほどが埋まっていた。休日の昼間ともなると、満車状態になることも少なくないそうだ。どんなテナントが入っているかというと、これはわりと普通。メインはスーパーで、マクドナルドなどの軽食やちょっとしたブティックなどが入っている。ただ、スーパーの企画はかなりこだわっているようで、道東の太平洋沿岸部とオホーツク沿岸部の海の幸に加えて、十勝の野菜が日替わりで仕入れられている。何せ立地がちょうど両地域の中間なので、各地から運び入れるのに便利なのだろう。食材にこだわる道民にとっては垂涎もののスーパーなのだ。

また、中標津町は東武サウスヒルズの周辺に、ほとんどの都市機能を集積させている。町立病院や高校、町役場に加え、周辺にはケーズデンキ、ホーマックやツルハドラッグまである。どれもこれも北海道に本社を置く会社というのも実に北海道らしい。さすがに徒歩圏内というわけではないが、自転車があれば車がなくても何でも揃う。つまり中標津町は、多くの地方都市が追い求めるコンパクトシティを形成しているのだ。

大学教授も認めた「住みやすい街」

中標津町は密かに「住みやすい街ナンバーワン」を目指しているのだが、あながちその路線は間違っていない。商業集積地として人が集まりやすく、人口2万3000人ほどの規模だが、ここ20年ほど微増と微減を繰り返し、ほぼ横ばいを保っている。

国士舘大教授でまちづくりを研究する加藤幸治は、これを「中標津モデル」と呼び、大都市の一極集中を是正するまちづくりの好例として取り上げている。加藤によれば、「便利な施設がコンパクトにまとまっており、中標津に住んで町外で働く人も多い。周辺地域の中心地でありベッドタウン。そんな自治体はほとんどない」と高い評価をしている。

中でも注目しているのが「ついで利用」だそうだ。買い物や医療などが集積することによって、同じ行程で複数の目的が果たせるというメリットが中標津町に繁栄をもたらしているという。

その効果がよくあらわれているのが、東武サウスヒルズに面した桜ヶ丘だ。ここはまだ道路が舗装されていないにもかかわらず、新築住宅が建ち並び、プチニュータウンの様相を呈している。30代の若い世代も移住してきているようで、子供用の三輪車なども軒先で見かけたりもした。おしなべて少子高齢化が進む道東にあって、唯一の希望の光になりえる存在である。

このようなコンパクトシティになったのは、格子状防風林の区画割りの中で周囲に市街地を広げられなかったことが要因である。まさかケプロンがそこまで考えていたわけではないだろうが、いずれにしても中標津町はなかなか侮れない実力派タウンである。根室も釧路もウカウカしていられない。

東武サウスヒルズには周辺自治体からの客も訪れる。それもこれも交通アクセスの利便性が抜群だから。ご当地品も充実して道民好み

東武サウスヒルズの裏手にある新興住宅街。若い世代も増えているようで、コンパクトシティ化はますます加速しているようだ

釧路市が変な形になったのは当時の市長のせいだった!?

なんで「釧路」が3つあるの!?

本書の取材にあたって、地図は必須アイテムである。レンタカーのカーナビだと、かなり古いタイプに当たったりするため、ときどき道なき道を進むように指示を出されてしまうことがある。また、訪問場所を地図に落とし込んでおけば、どの順で回ればいいか予測がつきやすくなる。特に北海道はとんでもなく広いくせに道を間違えると延々と交差点がなかったりするので、なかなかにスリリングである。まあ、車が少ないし道が広いからUターンすればいいだけの話だが。

現地入りする前に地図とにらめっこすることも多いのだが、最初に広域地図を見た時点でちょっと驚いた。釧路市が飛び地になっている上に、釧路町まであるじゃないかと。パッと見だと「釧路」という自治体が３つあるようにさえ見える。地元民にとっちゃ常識なんだろうが、ひと目で「合併でひと悶着あったな」とわかる地域もなかなかない。というわけで、「釧路」が３つ（あえてね）になった経緯とはなんなのだろう。

すったもんだで釧路市と釧路町が分裂

１９２０年に釧路町が釧路区と釧路村に分裂した。当時北海道では区制を道内に拡大しており、札幌区や函館区などがすでに設置されていた。遅れて、当時の釧路町を区制に移行することになったのだが、そのためにはある条件があった。それが人口密度である。当時釧路郡が区になるためには面積が広すぎて移行条件を満たしていなかったのだ。

人口が集中する中心市街地は、かつて「クスリ」と呼ばれて交易の中心地となっていた釧路川河口付近だけ。しかしここでまさかのウルトラＣが繰り出される。現在の釧路町にあたる部分を分村して切り離したのだ。ただ、この分村はどうやら道庁と当時のお偉いさんだけの談合で進められていたらしく、これに現在の釧路町の住民たちはブチギレ。「補償しろ！」と訴えたところ、道庁から11万円という当時としては破格のカネをもらうことで何とか納得。こうして釧路は釧路区と釧路村に分裂をしたってわけだ。

その後、釧路市の市街地は拡大し、やがて釧路町の雪裡太地区と一体化した市街地を形成した。ちなみに、釧路中央インターチェンジは釧路市で、釧路東インターチェンジがあるのは釧路町である。何ともややこしい！

飛び地になったのは当時の釧路市長のせい!?

次は釧路の飛び地についてである。こちらは平成に入って全国各地で合併ブームが起こった際、釧路市周辺の市町村でも合併協議が進められることになった。釧路市が最初に声をかけたのは、もちろん釧路町である。そりゃあ、もともとひとつだったんだから、真っ先に声をかけるのは当然だ。ただ、当時の釧路町長は合併慎重派で、「とりあえず協議だけなら……」ぐらいの感じだった。で、ほかに声をかけたのが阿寒町、鶴居村、白糠町、音別町である。この6市町村が合併すれば、大釧路市が誕生していたことになるが、結果はうまくいかなかった。

速攻で離脱を決めたのは、釧路町である。元々切り離された歴史的経緯もあり、釧路市に対する反感は根強かった。ほとんど釧路市と市街地が一緒になっている雪裡太地区でも、「人口が増加して順調な発展を遂げている中で、人口減が続く釧路市に吸収されては釧路町の活力が失われる」という反対論まであった。釧路市としては何としても合併したかったようで、2002年の釧路町長選では、合併慎重派の現職と合併推進派の新人による選挙となり、当時の釧路市長が露骨に推進派に肩入れしたそうだ。しかも介入しすぎて、公職選挙法違反で逮捕されるというドタバタ劇となってしまった。そもそも合併慎重派は釧路市に対しての不信感が強まっていたのだ。そのため、町長選挙前では6市町村での合併協議会が開かれるはずだったが、さっさと釧路町が離脱してしまったため、協議が本格化する前に協議会はバラバラになっていた。これに呼応するように鶴居村でも、住民アンケートで合併反対が6割を超えたことから協議会には参加せず。釧路市・白糠町・音別町・阿寒町での4市町村協議会に縮小されたのだが、白糠町でも住民投票で反対が55パーセントを超えたため、3市町村の合併となり、現在の市域になった。

こうして見ると、旧釧路市ってどんだけ嫌われてたんだろうと思い、釧路人におそるおそる聞いてみたところ、そもそも6市町村が合併していたら広くなりすぎるという意見が大半を占めていたらしい。

「まあ、合併してもしなくても変わらなかったよ。いいのよ、これで。釧路町も白糠町も今のままでそこそこ元気なんだからさ！　みんな元気じゃなくなったら合併して協力すりゃいいよ！」

と、実にアッケラカンとしている。そのほかにも数人から話を聞いても、みんながみんなだいたい同じように特に気にしている様子はなかった。ただ、飛び地のせいで取り残された旧音別町は何の恩恵も受けられず、何だかかわいそうである。

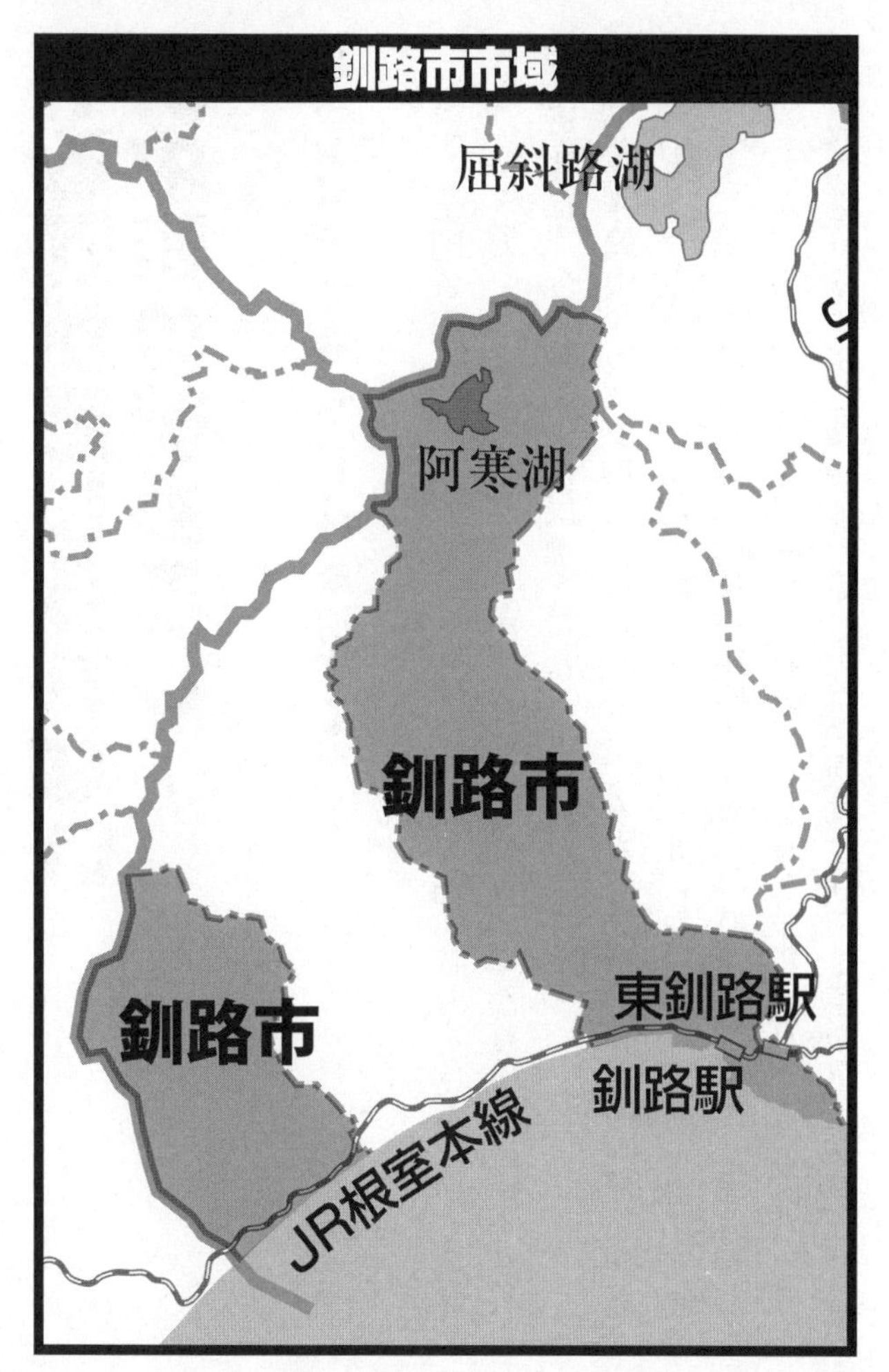

釧路市市域
屈斜路湖
阿寒湖
釧路市
釧路市
東釧路駅
釧路駅
JR根室本線

やる気が感じられない浜中町の街おこし

ルパン三世で街おこしは成功するか？

近年、全国各地でゆかりのあるアニメや漫画で街おこしをする事例が増えている。特定のアニメや漫画ファンが舞台になったり、ゆかりの深い街を訪れる聖地巡礼は、今や完全に市民権を得た。

釧路と根室というアクの強い街に挟まれて存在感の薄い浜中町が唯一日本全国に誇れるブランドが国民的漫画・アニメの『ルパン三世』だ。原作者であるモンキー・パンチこと加藤一彦は浜中町生まれ。2019年に惜しまれつつ亡くなったが、現在でも新作は制作され続け、2021年10月からは第6シリーズが放映される予定となっている。アニメ版は1971年の第1シリーズから数えて50年を数える。あらゆる世代から支持されているので、それだけファン層も幅広く、地味な浜中町にって、その知名度を活用しない手はない。そこで浜中町は「ルパン三世はまなか宝島プラン」と称して、２０１１年から街おこしに乗り出している。

霧多布や茶内の市街地にルパン三世のキャラクターを模したバーや居酒屋といった仮想店舗を設け、花咲線やくしろバス、町内のタクシー会社と連携してそれぞれラッピング車両を走らせている。また、町内の茶内駅、浜中駅では駅舎にルパン三世のキャラクターが描かれていて、あちこちでルパンのキャラクターを見かけることができる……。というのが売りなのだが、実際に町内を巡ってみると、仮想店舗こそそれなりにインパクトはあったが、少なくとも駅舎の絵はいかにもとってつけたような印象だ。絵のクオリティは悪くないのだが、ルパンがあまりにペラペラなので、すぐ壊れるんじゃないかと心配になる。あと、個人的には昭和のころのタッチが好きだったので、最近のエロスを抑えたタッチの峰不二子にはちょっとガッカリである。

目玉は、浜中町総合文化センター内に設けられた「モンキー・パンチ・コレクション」という展示。モンキー・パンチの仕事部屋を再現しており、貴重なグッズなどが展示されている。残念ながら入館することができず、どの程度の規模なのか判断できないが、あくまで文化センターの2階に設けられたレベルだし、入場無料なので、どこまで観光効果があるか、ちょっとビミョーなところではある。

ラッピング車両を見ても町民は関心ゼロ

聖地巡礼を観光資源とする場合、「舞台となった街」はアニメを見たファンが勝手にロケ地を訪れたりするので、余計な手を加えずとも来訪者は勝手に作品の世界観に没頭できる。だが、浜中町は「作者のゆかりの地」なので、対外的にアピールが必要で、よほど筋金入りのモンキー・パンチファンでもない限り、「聖地」として認識してもらうにはアピールも必要だし、時間をかけてコンテンツとして育てていくしかない。実際2012年からは「ルパン三世フェスティバル in 浜中町」と称して、栗田貫一などを呼んでトークショーなどを実施して、何とか認知度を高めようとしている。

ただ、あえて言わせてもらうなら、古参のファンは今でもルパンの声は山田康雄で再生される。ドラえもんとクレヨンしんちゃんはずいぶん慣れたけど、いまだにルパンだけは慣れない（クリカンのモノマネはだいぶ板に付いてはきたが）。ルパンは昭和という時代背景があったからこそのカッコよさだった。ましてやごくごく普通の街中にルパンのキャラがいても、浮いてる感じがして、なぜかソワソワしてしまう。

そのせいか町民の関心もイマイチだ。全国高等学校生徒商業研究発表大会というなかなかマイナーな大会があるのだが、そこで東京の高校が知的財産の活用を研究する上で、浜中町の高校生に「ルパン三世で、町はどのように変わりましたか？」というインタビューをしている。その回答は「知らない間に、町にルパンのパネルやルパンバス、ルパンタクシーが走るようになった。地元の人は、それほど関心がないと思います」とバッサリ。

地元全体を巻き込まないと認知度は上がらない！

このように「作者のゆかりの地」として観光地化するのは「舞台となった街」に比べてハードルが高い。アニメの世界観と街並みがまったくそぐわないからだ。その点で、ルパンの世界観と地味な漁師町は相性が悪い。イベントはそれなりに盛り上がるかもしれないが、恒常的にファンを惹きつけるキラーコンテンツにはなりづらいのだ。

だが、「作者のゆかりの地」でも成功例がないわけではない。鳥取県境港市は水木しげるの出身地だったことから「水木しげるロード」を設置。多額の予算を投じて市内に石像を設置している。水木先生自らが監修したというのだから、クオリティがとにかく高い。また、地元民が一緒になってイベントを盛り上げたことで認知度のアップを図ったことが大きかった。浜中町のように高校生に「関心がない」と言われているようではまだまだ。地元全体を巻き込まないと、成功は見込めない。ルパンという素材は一級品だけに、もうちょっと本腰を据えて街おこしに臨んだほうがいいだろう。

絵の再現度は高いんだけど、肝心の看板はペラッペラ。強風で吹っ飛んだりしないか心配で仕方ない。もう少し本気を出したらどう？

はまなか総合文化センターはルパン一色。だが、町民からは駐車場扱いされており、観光客らしき人はついに見かけなかった

市民はノホホン 実は平和で安定している網走

刑務所はあるけど牧歌的

高倉健主演の『網走番外地』は、網走人の誇りである。さすがに観光地化はしてないが、大曲には今でも網走刑務所が鎮座（？）している。その代わりと言っちゃあ何だが天都山には網走監獄が博物館として運営されている。網走監獄は『網走番外地』とは無関係で、明治時代に起こった西南戦争によって収監される罪人が増えすぎたために作られた監獄である。ここに集められた1200人もの囚人たちは廉価な労働力として、北海道開拓を担い、道路の開削工事などに当たった。その工事は超過酷で、餓死やケガに加え、クマに襲われたり逃亡を企てて看守に斬り殺されたりもしたという。北海道開拓の闇歴史のひとつに数えられるエピソードである。

そんなおどろおどろしいイメージの網走市だが、実際に街を巡ってみると、非常にのどかな地方都市である。もちろん道の駅流氷街道網走など一部は観光地化されているが、市街地にはほどよく店があり、ほどよくシャッターが下りている。北海道ではあまり見かけないチャリに乗った年配者もよく見かける。チャリが多いのはオホーツク海沿岸で、気温は寒いが降雪量はさほどでもないせいだろうか（あくまで北海道基準だけど）。住宅街と商店街の住み分けがされていて、昭和的な街のつくりをしているせいもあるのだろう。どこか懐かしく親しみやすい街並みである。

東京農大の学生は意外と網走に定着する

さらに、網走市には東京農大のオホーツクキャンパスもあり、学都の側面もある。そのため、網走市は周辺自治体に比べると20～24歳の人口が多い。大学のある地方都市では、転入した分はそっくりそのまま転出してしまうケースも少なくないが、網走市の場合、麦類、ジャガイモ、テンサイに加え、畜産なども盛んで、一戸当たりの耕地面積が大きい大規模農場が多いので、そのまま市内で就職する学生も多い。大学の存在がそのまま後継者不足を解消する人材育成の場ともなっており、ウィンウィンの関係が築かれているのだ。

そんな学生とぜひ話がしたかったのだが、駅前にはそれらしき人の姿は見かけない。それもそのはず、東京農大のキャンパスは天都山にあり、市街地から車で15~20分ほどかかる。そのため、ほとんどの学生が車通学なのだ。取材当日にキャンパスまで足を伸ばしたが、おそらく休校日だったのだろう。職員専用の駐車場にしか車が停まっておらず、校門付近にある農場でトラクターは動いていたものの、キャンパス内は静まり返っていた。一点興味深かったのは、キャンパスを出てすぐに交通事故の防止を訴えるバカでかい看板があったこと。しかも左右確認やブレーキという初歩的な注意喚起である。免許取りたての学生が事故りやすいのだろう。確かに農大のキャンパスの出口から県道に出る際、坂道になっているため視界が悪い。しかも県道の車は北海道ならではのスピード感で突っ込んでくる。道外からの学生にすれば、慣れるまではなかなか大変かもしれない。しかし、学生生活の4年間で北海道の車社会を身につけられるのだから、そのまま定住しても大きな苦労はないだろう。

網走人はユルユル人種!?

というわけで、網走市はかつて収監地だった土地とは思えないほど平和である。強みである農林水産業と観光がミックスされており、絶妙なバランスで成り立っている。街に漂う雰囲気もどこかのんびりしている。その上、網走人に話しかけると、誰も彼もが最初から友達モードである。セコマでは店員さんから話しかけられたぐらいだ。人口3万人ほどの規模の街でありながら、観光客や学生といったヨソ者を受け入れてきただけに、初対面でも抵抗がないのだ。

そんな網走人の邪気のないのんびり気質がよくあらわれているのが市役所のホームページ。注意深く読んでいただきたいのだが、ところどころツッコミどころが満載なのである。たとえば、「法定速度」は一貫して「法廷速度」だったりする。普通、誰か気づいたりするだろうし、ホームページの文章を書いている「中の人」は気づかなかったのだろうか。

極めつけは「お試し暮らしのご提案」というページ。1カ月以上網走に滞在したい人向けに生活家電や家具などを完備した滞在用物件を紹介する事業だ。そのページの下段には「1ヶ月未満の短期滞在について」という注意書きがあるのだが、そこに書かれているのは、「前述の制度は利用できないから自分で探してね」という内容。制度が利用できないのに、わざわざ記したのはナゼだろうかと思いつつ読み進めていくと、「キャンプ場に連泊する」という項目があり、そこには「ワイルドな方、もしくはこれからワイルドになりたい方にはおすすめです」とある。長年本書の執筆に携わってきて、これだけユルイ内容の市役所のホームページを見たのは初めてである。改めて市役所に問い合わせてみると、書いている「中の人」はすぐにはわからないそうだが、おそらく内部の人間らしい。網走人は道民特有の大らかさに加え、ユルさが輪をかけて増したような人種なのかもしれない。網走の街に流れるのどかな空気の正体は網走人の醸し出すユルさのせいなのか。仕事を引退したら住みたい、なんて思わせてくれる街は、道内でもここだけかもしれない。

遠くに見えるのが網走刑務所。市街地の外れにあるが、その存在感はけっこう大きい。何せ網走の名を日本中に知らしめたんだからね

東京農大のオホーツクキャンパス。就職先が間近にあるので、網走市では学生の定着率が高い。反面初心者ドライバーの事故が多い

北見人が愛するカーリングは世界に誇るキラーコンテンツ！

マリリンも絶賛する最新カーリング場

別の仕事だったが、筆者はかつてマリリンこと本橋麻里氏にインタビューをしたことがある。ロコ・ソラーレに関する取材だったのだが、話は当然北見市のことにも及んだ。

「北見市の皆さんには本当に感謝しています。いろんな面でサポートしていただいてますし、何より地元の方からの応援の声がすごく力になっています。常時練習できるカーリングホールは、設備面でも世界トップクラスですし、こういう環境で練習に打ち込めるのはありがたいですね」

あのマリリンがべた褒めするほど、北見市のカーリング熱は高い。中でも、

２０２０年にオープンした「アルゴグラフィックス北見カーリングホール」は、北見工業大学と連携して最先端スポーツ科学を導入している。たとえば、モーションキャプチャーで選手のデータを測定したり、ＡＲやＶＲを活用して、ストーン（カーリングの試合で使われてる石のことね）の軌跡をコース上に再現したりすることもできる。国内でこれほどのカーリング専用施設はない。というか、カーリングにここまで投資ができるのも、北見市ならではだろう。この施設には、全国のカーリングチームが合宿で利用することもあり、地域経済にも少なくない恩恵を与えている。マリリンの話では熊本のチームが訪れ、その設備にたいそう驚いていたそうだ。

北見市にカーリングが根づいたワケ

そもそも日本のカーリングの歴史は北見市（常呂町）で始まった。カーリングが根づいたのは１９８０年のこと。北海道とカナダ・アルバータ州の姉妹提携を縁に行われた「カーリング講習会」がキッカケだった。最初はビールのミ二樽を利用した手作りのストーンで始まったそうだ。何だか地味な話だが、スポーツといえばスケートぐらいしかなかった北見人は、このスポーツに注目。翌年には協会を設立し、普及に向けて動き出した。

ここから旧常呂町では急速にカーリング熱が高まっていく。1981年には元世界チャンピオンのカナダ人選手による指導者講習会が開催され、第1回NHK杯カーリング大会を開催。1982年には百年広場にカーリング場を設置して町民たちが熱狂した。1987年には「はまなす国体デモンストレーション行事」として、常呂町でカーリングが開催されることになり、国内初の「屋内カーリング専用リンク」が着工された。これが現在の「アドヴィックス常呂カーリングホール」である。1990年からは常呂町内の小学校の授業にカーリングが採用され、現在町民の約6~7割はカーリング経験者とさえいわれている。こうして選手育成が進み、本橋麻里などに代表される世界的な選手を次々と輩出するようになった。ロコ・ソラーレなど日本代表の活躍によって、カーリング人気は国内でもうなぎ上り。北見市にカーリングはなくてはならない大切な財産でもあり、かけがえのないアイデンティティになっている。

札幌オリンピックが実現したら北見の発展は間違いない

期待が集まるのは、2030年に誘致している札幌オリンピックである。仮に実現すれば、カーリングは確実に北見市で開催される。すでに最新設備を備えているのだから、新しく競技場を造る必要もない。札幌市が掲げる「金をかけないオリンピック」という目標にも合致する。カーリングの世界での競技人口は108万人で、世界選手権などに出場する国はだいたい15カ国ぐらい。北見市や網走市のホテルを活用すれば、十分に収容できる規模である。

ただ、日本のカーリング人気を考えれば、観戦客やマスコミ関係者も数多く訪れるはずで、十中八九ホテル業者などの投資対象になるだろう。そうなれば、北見市内などで大規模な再開発が行われる可能性は高い。幸いなことに北見駅周辺には、それなりに開発できそうな土地はある。というのも北見駅前は他の街と同じく商業施設の郊外化によって、駅前商店街には空きも増えている。地方都市としては、まだかなり踏ん張っているほうだが、日赤病院に東側には建て替えが必要そうな建物も多く、かなり閑散としている。この周辺を一体的に開発できれば、北見市は一気に活性化しそうである。まあ、札幌がオリンピックを誘致できたらの話なので、まだどうなるかはわからないが。

ただ、これも北見市が街をあげて長年カーリングに取り組んできたからこそ見られる夢である。北海道はよく歴史がないといわれるが、その反面、新しい歴史を作ることができるとも言えよう。富良野市の「へそ」運動しかり、戦後から地元民を巻き込んで活動を続けてきた自治体には、他の都市にはない強みが生まれていることも確かだ。

ここからは個人的な意見ではあるが、北見市のようなモデルは地方創生の課題を解決するカギを握っていると思っている。世界的にメジャーなコンテンツでなくとも、地元にしっかりと根づけば、他にはない強みになり、それが街の魅力にもなる。再開発は派手で即効性があるが、長続きしないケースも多い。本当に住民が誇りに思えるのは、地元の生活に根差したものでなければならない。その意味で北見市のカーリングは、今後も成長し続ける街のキラーコンテンツになるのではないかと思う。そんなニッチな競技の魅力にいち早く気づいた北見市（常呂町）には先見の明があったのだ。

マリリンこと本橋麻里が絶賛する「アルゴグラフィックス北見カーリングホール」。札幌オリンピック開催なら会場になるはず

北見市では小学校の授業でカーリングが取り入れられている。人材育成のみならず、地元のシンボルとなった要因のひとつ

北海道コラム 6

40年ぶりに十勝の地酒が復活！

本書シリーズの取材でのひとつの楽しみが各地の地酒を味わうことである。地方の居酒屋で、地元民が愛する郷土の肴をアテに地酒をクイッとやる瞬間は最高にたまらない。ましてや北海道の取材なんて、大半が移動時間に費やされるわけで、日々の疲労感たるやかなりのものがある。疲れきった体に清らかな日本酒は実にうまい！　何せアテも絶品だからね！

ただ、あまり地酒に詳しいわけではないので、有名どころしかわからないのだが、北海道にはあまり地酒というイメージを抱いたことがなかった。関東にある北の酒といえば、宮城県の浦霞が有名で、ときどき秋田県や青森県の地酒を見かけるぐらいで北海道の地酒を飲んだことはなかった。

てなわけで、居酒屋の店主に「おいしい地酒ください」という初心者丸出しの注文をしてみると、たいてい名前を出されるのは「男山」であった。「ん？　男山

って確か伊丹じゃなかった？」と思ったのだが、実は旭川市で醸造されている「男山」のほうが本流らしい。もとは伊丹で醸造したが、本家の山本家から正統な後継と認められたのは旭川のほうだったらしい。

ほかにも北海道にもおいしい地酒は各地にあるのだが、十勝地方だけ酒蔵はゼロ。かつては15蔵ほどの酒蔵があったそうだが、１９８０年代を最後に姿を消してしまったらしい。十勝では地酒復活を願う声が強く、２０１７年に三重県にあった休眠蔵の酒造免許を移転して、新たに上川町に「上川大雪酒造」が誕生。この酒蔵は地方創生蔵として、地元企業や自治体と連携することを目的としている。そして２０１９年には帯広畜産大学のキャンパス内に「碧雲蔵」という酒蔵を設置。杜氏は学内で客員教授に就任し、人材育成も担うという。大学と酒蔵が連携するのは全国初の試みだそうだ。

上川の蔵と帯広の蔵の大きな違いは水で、前者は超軟水、後者は中硬水で、まったく異なる味わいになる。上川大雪酒造の評判はすこぶる高く、某日本酒評価サイトでは北海道の地酒で堂々の人気ナンバーワンを獲得している。それだけ評価が高いのなら飲みたくなるってのが酒飲みのサガ。しかし、道内で上川大雪酒造の地酒を置いてある店を探したのだが、1軒も見つけられず、結局取材中に味わうことはできなかった。

そこで、さっそくオンラインショップで「碧雲蔵」を注文。5000円と値段はそこそこしたが、期待を上回る飲み口で、土産で買ってきた山わさびをつまみながらタップリと堪能させていただいた。またひとつ十勝の名産が誕生したことを実感させる一杯であった。

第７章
北海道を もう一度開拓しなおそう！

問題山積みの北海道
何がいったいダメなのか

思った以上に北海道は複雑だった

北の大地北海道をシリーズ初となる2冊同時刊行によって手広く見てきたが、いかがだったろうか。計600頁を超える分量とはいえ、これだけで北海道を語り尽くせたとはとてもいえないが、あまり知られていなかった「常識のはず」の事実や、各地の現状を知ってもらえたら幸いである。

さて、こうして北海道を通しでみてみると、思った以上に北海道には複雑な事情があることがわかる。一般的なイメージとして、北海道は明治以降の「移民」が主な住人で、東京みたいに個性が少ない一般的な人々が住んでいる、といったものがある。確かにそうした一面があるというか、当の道民が「北海道には言葉のなまりがない。東京のほうがなまっている」と考えているように、あまり北海道や道内各地の個性を認識していないのは事実だ。

こうした気質を生んでいるのは、これまでの歴史と、現在の札幌一極集中が大きく作用しているのだが、実際のところ、現在の道内各地には、それぞれの事情、それぞれの個性が脈々と受け継がれてきている。

そうした住民たちの個性が、各地を発展させ、また問題を起こしているのだ。

たとえば札幌には、後先考えない勢いがある。現在、札幌では各地で大規模な再開発が進行中、もしくはある程度の目処が立っている。狸小路商店街周辺でもビルの建て替えが見られるし、新幹線開業を目指した札幌駅とその周辺、苗穂や新札幌駅周辺などが目立つところだ。それ以外にも、札幌駅近辺を中心に、現在主流のタワーマンションがにょきにょき生えている。

札幌は、たしかに今イケイケ状態だ。市全体の、それも市民の懐具合も含めた経済状況はそれほど良いとはいえないが、全道から次々と人が集まってきており、とりあえず再開発のひとつでもしないと間に合わない、であったり、なにはともあれ商業ビルを作ればそこそこいけるだろう、であったりと、再開発を行うには適した環境がある。

北海道、札幌市民には「のんびり」「なんとかなるさ」という楽天的な気質があることは、ここまで何度か取り上げてきたが、こうした札幌の再開発ラッシュはどうにも向こう見ずでリスクを甘く見たものに思えてしまう。だいたい、2030年に「第2回」札幌オリンピックの誘致を目指していても、新幹線の開業予定は今のところ2031年3月（2030年度末）である。新幹線開業のネックは、実例からいくと「最後の予算確保」ができるかどうかで、一気に進展したり滞ったりしているので、強引に金を集めれば1年前倒しも不可能ではないのだろう。だが、こうしたものは「悪い方」の想定に合わせて計画するものだ。なぜ最初から2034年で万全の準備を、とならないのか。2026年誘致を断念した時点で、余裕を持った姿勢を見せてほしいわけだ。

北海道らしさが仇となっている

札幌に限らず、北海道では街の個性が生んだ問題が多い。最たるものは、旧炭鉱町の崩壊から、産業転換用費用を「使っちゃった」夕張市のように、「優遇される北海道」に慣れすぎた街と人々であろう。

ただし、このあたりにも地方によって温度差がある。道北から道央北部辺りまでは完全な「炭鉱エリア」っぽいダメさ加減が目立つが、日本の領土としての歴史が古い道南は、もっと以前から崩壊していたので今はけっこうしたたかだ。道東はてんでバラバラにアメリカンな楽観性と博打的要素の強い漁業一発勝負や堅実な農業・酪農に寄りかかって、あまりガツガツしない穏やかさがあったりする。

これらは、状況が良いときならばプラスに転じたのだが、今はマイナス面が目立つ。とはいえ、幕末の敗者や行き場のない人々が流れ着いた北海道だ。やっと生活の目処がたって、のんびり生きたい、という伝統ができてしまったとしても、それは大いに同情の余地がある。

とはいえ、これらは北海道だけの問題ではない。戦後経済大国として大発展し、先進国となった日本国自体が、冷戦構造の中で西側諸国から「防衛拠点」として優遇され、その恩恵を受けて復活を果たしたわけで、日本自体が「世界の北海道」であったわけだ。その構図が崩れ、日本自体が沈む中、北海道はその中でも「特にひどい」に過ぎないのである。

ただし、北海道には資源がある。産業資源、観光資源、そして人的資源である。問題だらけではあるが、新幹線もそう遠くない時期に札幌へ到達する。要するに、もうダメな日本にあって、もう一度復活する可能性が一番高いのもまた、北海道だといえるのだ。

そのためには、侵略と開拓で北海道を切り開いたころの勢いと、広大な土地を有効に使うための大胆なアイデアが必要となる。なにせ人口密度が極端に低い北海道だ。環境に配慮して市街地を作り直すだけでも、ある意味「やりたい放題」が可能だし、すでに資源はあるのだ。降雪と寒さというハードルは確かに高いが、再度国を作り直す実験を、北海道で行うことは、少なくとも内地の各地に比べればはるかに容易である。

本書のラストとなる次項では、とりあえず突飛だが面白いアイデアをいくつか提案してみたい。

資源が豊富すぎるのもときにマイナス要因に。資源が尽きた時に痛い目に会うという経験を、北海道はあまりに数多くしてきた

オリンピックのマラソン競技に合わせて会場の整備が進んだ大通公園。2回目の冬季五輪へのいい予行練習になると思われたが……

新しい日本を北海道で建国すべし

まずは現状把握からしてみよう

さて、すごいタイトルをつけてしまったが、最後に北海道の将来を模索してみたい。これから論じることが、北海道を発展させるアイデアのひとつになれば幸いである。

まずは、北海道全体の問題点をおさらいする必要があるだろう。もっとも重要なのは、札幌一極集中の行き過ぎである。ストロー現象という言葉をご存知の人は多いだろう。これは、札幌や東京、大阪、福岡といった地域の拠点である大都市に、周辺の住民が集まってしまう現象だ。その原因として、仕事が大都市にしかない、といったものがいの一番に挙げられる。

現状、北海道はまさにこのストロー現象が起きやすい状況にあり、実際にすさまじい吸引力で札幌が人口を吸い取っている。ここには、鰊漁、炭鉱、重工業といった「衰退産業」に集まっていた人々が、地元でがんばってきたものの、やがて食えなくなり、仕事を求めて札幌に集まってきた、という基本的な構造がある。もっとも、それらの産業がダメになって、すぐに札幌へ移ってきたのではなく、かつて栄えた産業の余力でなんとか保持されてきた各地が、21世紀になってもうさすがに限界を迎え、堤防が決壊するように札幌へ人が押し寄せてきている。構造としてはこんな感じである。

ただし、当の札幌は、内陸の政治・商業都市に過ぎない。いわゆる資源がある土地ではなく、そもそも北海道開拓の「前線基地」という位置づけの土地である。だからこそ、歓楽街であるすすきのが、札幌の「根源」でもあるわけだ。

そうした、実は機能が少ない都市がなぜ栄えているのかというと、周辺に産業があり、それらの産業をつないで「管理」し、「監督」するための拠点であるから。北海道でいえば、各地で事業を行う人々は、商品を札幌に持ってきて売り、また地元に帰っていく。これが基本のスタイルである。

ということは、札幌だけが発展しても、周辺、つまり北海道全体に活力がなければ、いずれ札幌はもっとひどい形で崩壊することになる。無論、東京や、それこそニューヨークやシンガポールのように、金融などの「別の形の産業」が集約されていればまだ話は別だが、今のところ札幌は「ただ単に北海道の中心」でしかない。過去にコンピューター産業など、いくつかの新しい経済活動が勃興したが、それも札幌を支配するほどの力は得ていない。今はまだ、札幌は北海道を管理する拠点でしかないのである。もっと厳しい言葉を使えば、自分だけではやっていけない街なわけだ。

そんな街が人口を吸いまくっているのだから、実態は「自分の足を食べているタコ」のようなもの。札幌はまずその危機感をもって、北海道の中心として、新たな北海道を作り上げていかなければならないのである。

そうした現状を考えるに、北海道新幹線の札幌延伸は明るい要素だ。そもそも北海道の鉄道は石炭と兵隊を運ぶことを目的に作られたものだから、現状で廃線が相次ぐのは仕方がない。であれば、もう一度今の時代にあったインフラを作るということもアリだ。

北海道分割が決め手となる？

もっといってしまえば、広い北海道の中心が札幌だけなことが良くないのだ。現状、道内から札幌に人が移ってしまう最大の要因は「札幌が遠い」からである。北海道に住んでいれば、どうしても札幌に行かなければならないシチュエーションは多い（買い物などなら東京へ飛行機で飛んでしまう手もあるが）。それが不便だから、札幌に引っ越してしまうし、そうして人が減ったことで雇用先の企業も衰退。結局街全体が衰退という負のスパイラルが起きている。

であれば、もう北海道の面積にあった形で、各地にもう一度、札幌に対抗できる中心都市を築く必要がある。そのためには、もう北海道という巨大行政区はやめて、甲子園予選のようにふたつ、いや、旧律令国の11に分割してしまってもいいかもしれない。

行政区が分割されれば、強制的に地域拠点となる「県都」が整備される。これをもって最低限、釧路や根室、北見、網走、旭川、稚内、留萌あたりに札幌に対抗できる拠点を作りたいところだ。

しかし、ただ分割するだけでは何も生まれない。それどころか、今の衰退傾向をさらに加速させるだけになるかもしれない。そこで期待したいのが新幹線である。

新幹線が札幌まで延伸すれば、札幌と本州のつながりは強化される。しかし、それだけではせいぜいが函館を復活させる一助になる程度で、残りの広大な北海道全土を救う手立てにはならない。小樽がしきりに「うちにも新幹線を」と言っているが、それだけでは甘い。目標は最大限にでっかくしておきたい。

ということで、札幌まで新幹線が到達したら、札幌からリニア新幹線を走らせ、これを根室線、稚内線とすることを提案する。このリニア新幹線は、現状の旅客向けだけではなく、貨物用も合わせて開発する。無論、将来的には北海道・東北新幹線もリニア新幹線に変え、稚内から東京まで直通を目指すのだ。

こうすれば、とりあえず北海道の産物を、今よりも新鮮な形で東日本全域に届けることができる。日本では、鉄道といえば旅客向けのイメージが強いわけだが、世界的にみれば鉄道の強みは大量の輸送力。アメリカなど、大都市部を除けば、鉄道はほとんど貨物列車のみである。アメリカンな条件に満ちた北海道であれば、もうリニア貨物車くらいの野心を持ってもいいだろう。

無論、交通の便が良くなったら、さらにストロー現象が加速する可能性はある。だが、このまま座して共倒れを待つよりも、大胆な理想形を考えるべきときに、もはや北海道は達してしまっているように思う。

地元の良さを忘れずに

本巻では、全体的に厳しい話が多く、心を痛めた読者の方もおられただろう。ただし、全てが現実の話なのだ。だからこそ、色々と変化を起こし、現状を打破しなければならないわけだ。

ただし、改革をする場合にもっとも大切なのは、今あるもので変えてはならないものをいかに守るかである。これをしっかりやらないと、改革という名の、ただの破壊行為となる。21世紀に入り、日本ではこの「改革という名の破壊」が横行してきた。

だからこそ、これからの北海道を考える皆さんは、ぜひ最初に、地元北海道のどこが好きで、どこが良いのか。変えてはならないものは何かを、もう一度考え直してもらいたい。そして最低限残すものが決まったら、あとは大変革だ。まずは札幌一極集中の歪みを打破する北海道分割。そしてそれを成り立たせるための高速交通網の建設。まあこれがそのまま成立するとはとても思えないが、未来に向けて夢のある話をしてもいいだろう。

そして、どんな形であれ変革に成功した暁には、北海道をモデルケースとした「新しい日本」の形が見えてくる。日本国内でももっとも「新しい」土地である北海道。19世紀以降の「新しい形」を突き進み、今曲がり角に差し掛かっている。しかしそれは、多かれ少なかれ、日本と世界に共通する課題である。だからこそ、もはや失われたと思われている北海道のフロンティアスピリッツを呼び覚まし、もはや「どうせ衰退しているのだから大胆にいこう！」くらいの勢いで、もう一度北海道を開拓し直すときが来ているのではないだろうか。新幹線など、その契機になる要素は存在する。

大志は今も必要とされているのだ。

これまでの歴史を胸に刻みつつ、もう一度、いや今度こそ本当のフロンティアスピリッツを胸に、今こそ北海道の新生を目指すときだ

あとがき

今回はシリーズ初の2冊構成。それでも広い北海道である内容はだいぶ削っている。歴史の項目、北海道の現代史を語るならば1970年7月の華青闘告発への評価から、新左翼各派のマイノリティとの連携の始まり。また、窮民革命論以降の流れにももっと触れなくてならないのだが、残念ながら頁が足りず。また2冊の中で扱う地域も厳選せざるを得なかったので、今回扱っていない地域と内容についてはシリーズの今後に託すことにする。

コロナ禍において取材の旅路は厳しかった。まだ緊急事態宣言の最中から締め切りは変わらぬから早く取材に行けといわれる中で、改めて我が身がペンの労働者、それも寄る辺を持たぬ流浪の物書きであることを改めて自覚せざるを得なかった。このシリーズもすでに長らく続いているが、「これでいいのか」は地域から日本全体へ、世界へと幅を拡げている。とはいえ、この歴史の激動を人間の力ではどうすることもできぬ。ただ、その中で自分がどう生きるかを考えるしかない。

とにかく取材は、これまで以上に厳しかった。日中は太陽がジリジリと照りつけるのに陽が落ちれば寒さを感じる内地とは違う独特の気候。そして、人の対応も観光地となっているところでもなければ、厳しさばかり味わった。もっとも、それが悪いこととは思えない。まごうことなきリアリティのある北海道の姿なのである。

内地で北海道というと、豊かな自然と美味い食べ物が魅力的なものとして語られる。しかし、今回の旅ではなかなかそうした魅力に出会うことはできなかった。唯一、内地にはない魅力的な美味さを感じたのも大通のやきそば屋と羽幌のフェリーターミナルの食堂くらいだったろうか。あとは、セイコーマートのおかげでなんとか取材を終えることができた。地に足をつけて歩くと感じるのは魅力よりも厳しさである。かつて、寄る辺なき人々は内地からわずかな希望を持って北海道を目指し彷徨った。そうした人たちもこんな気分だったのだろうか。旅路に似合うのは藤圭子の歌声だった。

昼間たかし

カネで昔が買えるなら　堅気になりますます稼ぎます

参考文献

【書籍・資料など】

※道、市町村統計書など基本資料はリストから省略する

・海保嶺夫
『エゾの歴史　北の人びとと「日本」』　講談社　1996年
・札幌市教育委員会編
『札幌人の気質』　北海道新聞社　2001年
・井上美香
『北海道の逆襲　眠れる〝未来のお宝〟を発掘する方法』
彩流社　2011年
・札幌商科大学人文学部編
『北海道民衆の歩み』　札幌商科大学学会　1982年
・高倉新一朗監修
『北海道の研究1〜8』　清文堂出版　1985年
・祖父江孝男
『県民性　文化人類学的考察』　中央公論社　1971年
『県民性の人間学』　筑摩書房　2012年
・木原誠太郎＋ディグラム・ラボ県民性研究会
『47都道府県ランキング発表！　ケンミンまるごと大調査』
文藝春秋　2013年
・朝日新聞社編『新・人国記3』　朝日新聞社　1963年
・太田竜『辺境最深部に向って退却せよ！』　三一書房
1971年
・毎日新聞社編『北の人脈　三代の系譜・集団の系譜』
毎日新聞社編　1972年
・北海道新聞社編
『人脈北海道　市町村長編』　北海道新聞社　1973年
・北海道新聞社編
『人脈北海道　金融界編』　北海道新聞社　1973年
・木野工『ドキュメント苫小牧港』　講談社　1973年
・太田竜『革命・情報・認識　よみかきのしかた』
現代書館　1974年
・太田竜『アイヌモシリから出撃せよ！』　三一書房
1977年
・新谷一『アイヌ民族抵抗史　アイヌ共和国への胎動』　三一書房　1977年
・海保嶺夫『近世の北海道』　教育社歴史新書　1979年
・北海道拓殖銀行調査部編『北海道　80年代の可能性』
北海道新聞社　1980年
・北海道新聞社編『北海道を考えなおす』第3集
北海道新聞社　1980年
・留萌文化史作成委員会編『留萌文化史』
留萌市文化団体協議会　1985年
・留萌新聞社編『語り継がれる郷土　留萌地方'85』
留萌新聞社　1985年
・高橋明雄『るもい地方の歴史探訪－近現代にひろう35話－』
留萌地方史談話会　1991年
・山中燁子『北海道が日本を変える』　北海道新聞社
1996年

・高橋明雄『るもい地方の歴史をたずねて　軌跡その光と影』
私家版　1999年
・違星北斗『違星北斗歌集　アイヌと云ふ新しくよい概念を』
角川ソフィア文庫　2021年

【ウェブサイト】
・北海道のホームページ
https://www.pref.hokkaido.lg.jp/
※各市町村の公式サイトはリストから省略する

・内閣府
https://www.cao.go.jp/
・総務省
https://www.soumu.go.jp/
・国土交通省
https://www.mlit.go.jp/
・厚生労働省
https://www.mhlw.go.jp/index.html
・北海道観光公式サイトＧｏｏｄＤａｙ北海道
https://www.visit-hokkaido.jp/
・ＪＲ北海道
https://www.jrhokkaido.co.jp/
・札幌市交通局
https://www.city.sapporo.jp/st/
・函館市企業局交通部
https://www.city.hakodate.hokkaido.jp/bunya/hakodateshiden/
・道南いさりび鉄道
https://www.shr-isaribi.jp/
・札幌市交通事業振興公社
https://www.stsp.or.jp/
※北海道の地方紙・地域誌・テレビ、ラジオ局は多数存在するためリストからは省略する。それらの多くを参照した

・共同通信社
https://www.47news.jp/news
・時事通信社
https://www.jiji.com/
・朝日新聞
https://www.asahi.com/
・読売新聞
https://www.yomiuri.co.jp/
・毎日新聞
https://mainichi.jp/
・産経新聞
https://www.sankei.com/
・日本経済新聞
https://www.nikkei.com/

●編者

昼間たかし

1975年岡山県生まれ。ルポライター、著作家。岡山県立金川高等学校・立正大学文学部史学科卒業。東京大学大学院情報学環教育部修了。知られざる文化や市井の人々の姿を描くため各地を旅しながら取材を続けている。近著に『これでいいのか熊本県』（マイクロマガジン社）。そのほか単著に『1985-1991 東京バブルの正体』（マイクロマガジン社）『コミックばかり読まないで』（イースト・プレス）などがある。

鈴木ユータ

1982年千葉県生まれ。全国各地を駆け巡る実地取材系フリーライター。祖父母が積丹出身ということで北海道は自身のルーツでもある。取材では、主に道央から道東までを担当し、大自然の中を駆け巡った。そのため、基本的な時間配分は移動6割、取材4割。幸いなことにシカをひくことはなかったが、道中は睡魔と尿意に苛まれることに……。いやあ「試される大地」とはよく言ったもんだ。

地域批評シリーズ64　これでいいのか 北海道 まちの問題編

2021年8月13日　第1版　第1刷発行

編　者　昼間たかし
　　　　鈴木ユータ
発行人　子安喜美子
発行所　株式会社マイクロマガジン社
　　　　〒104-0041　東京都中央区新富1-3-7 ヨドコウビル
　　　　TEL 03-3206-1641　FAX 03-3551-1208（販売営業部）
　　　　TEL 03-3551-9564　FAX 03-3551-0353（編　集　部）
　　　　https://micromagazine.co.jp
編　集　岡野信彦／清水龍一／太田和夫
装　丁　板東典子
イラスト　田川秀樹
協　力　株式会社エヌスリーオー／髙田泰治
印　刷　図書印刷株式会社

※本書の内容は2021年6月30日現在の状況で制作したものです。
※本書の取材は新型コロナウイルス感染症の感染防止に十分配慮して行っております。

2021 Printed in Japan　ISBN　978-4-86716-168-5　C0195